O DESPERTAR AUTÊNTICO

ADYASHANTI

O DESPERTAR AUTÊNTICO

COMO LIDAR COM O FIM DO SEU MUNDO

UMA CONVERSA DIRETA E SEM CENSURA
SOBRE A NATUREZA DA ILUMINAÇÃO

Tradução
Ivana Portella

2ª reimpressão

MEROPE
editora

Copyright © Adyashanti, 2010, 2008
Copyright © Editora Merope, 2018
Tradução publicada sob licença exclusiva da Sounds True, Inc.
(Edição em língua portuguesa para o Brasil.)

TÍTULO ORIGINAL	The end of your world
CAPA	Desenho Editorial
PROJETO GRÁFICO E DIAGRAMAÇÃO	Desenho Editorial
COPIDESQUE	Opus Editorial
REVISÃO	Hebe Ester Lucas
COORDENAÇÃO EDITORIAL	Opus Editorial
DIREÇÃO EDITORIAL	Editora Merope

Todos os direitos reservados.
Proibida a reprodução, no todo ou em parte,
através de quaisquer meios.

DADOS INTERNACIONAIS DE CATALOGAÇÃO NA PUBLICAÇÃO (CIP)
(CÂMARA BRASILEIRA DO LIVRO, SP, BRASIL)

Adyashanti
O despertar autêntico : como lidar com o fim do seu mundo : uma conversa direta e sem censura sobre a natureza da iluminação / Adyashanti ; tradução Ivana Portella. -- Belo Horizonte : Merope Editora, 2018.

Título original: The end of your world : uncensored straight talk on the nature of enlightenment

ISBN 978-85-69729-14-3

1. Iluminação (Budismo) I. Título.

18-21486 CDD-294.3442

Índices para catálogo sistemático:
1. Iluminação : Budismo 294.3442
Cibele Maria Dias - Bibliotecária - CRB-8/9427

MEROPE EDITORA LTDA.
Rua Bernardo Guimarães, 245 sala 1602
30140-080 – Belo Horizonte – MG – Brasil
Fone/Fax: [55 31] 3222-8165
www.editoramerope.com.br

Esse livro é dedicado à Cordilheira *Sierra*, Califórnia. Em seus picos elevados, onde o ar torna-se rarefeito, encontrei minha igreja e catedral naturais.

	Agradecimentos 09	
	Prefácio 11	
CAPÍTULO UM	Explorando a vida *após* o despertar 15	
CAPÍTULO DOIS	O despertar autêntico – e a desorientação que pode advir 27	
CAPÍTULO TRÊS	"Ganhei, perdi". 39	
CAPÍTULO QUATRO	Chegamos ao nirvana pelo caminho do samsara. 59	
CAPÍTULO CINCO	Saindo completamente do esconderijo . . . 69	
CAPÍTULO SEIS	Ilusões, armadilhas e pontos de fixação comuns. 85	
CAPÍTULO SETE	A própria vida mantém um espelho para o nosso despertar 103	
CAPÍTULO OITO	O componente energético do despertar . .115	
CAPÍTULO NOVE	Quando o despertar penetra mente, coração e entranhas 125	
CAPÍTULO DEZ	Esforço ou graça?. 151	
CAPÍTULO ONZE	O estado natural 157	
CAPÍTULO DOZE	A história do casamento 165	
CAPÍTULO TREZE	Uma entrevista com Adyashanti 169	
	Sobre o autor. 203	

Agradecimentos

Meus afetuosos agradecimentos a Tami Simon. Sem suas provocações e encorajamento, este livro não teria acontecido. Sua abertura e confiança – e suas notáveis habilidades editoriais – são excedidas apenas por seu amor ao *dharma*. Outro afetuoso obrigado a Kelly Notaras, por sua edição sutil e paciente.

PREFÁCIO

Quando encontrei Adyashanti pela primeira vez, no outono de 2004, fiquei impressionada com sua forma original e inovadora de ensinar o despertar espiritual. Embora honrasse sua linhagem zen, enfatizava a importância de não se apoiar em um professor ou método específicos para alcançá-lo. Ao contrário, falava da importância de olharmos para a nossa experiência direta e, sem medos, explorar o território de nossa própria vida. Também insistia ser um mito a ideia de que o despertar espiritual é um fenômeno raro, disponível somente a poucos eleitos – a pessoas que meditaram em cavernas durante décadas ou que vestem túnicas especiais. Foi ainda mais fundo ao afirmar que esse mito sobre a raridade do despertar pode, na verdade, ser um obstáculo ao nosso próprio processo de descoberta, pois acreditamos em uma limitação que não é real, mas autoimposta. Retrospectivamente, acho que Adya (como é chamado por amigos e alunos) falava sob a perspectiva de alguém sentado na crista de uma onda: uma onda que está começando a arrebentar em nossa existência.

Como Adya ressalta no Capítulo Um, mais e mais pessoas com *backgrounds* e histórias de experiências religiosas distintos estão começando a descrever o "despertar espiritual" – uma realização inabalável de que somos a unidade da vida – como a transformação mais importante de suas vidas. Nos últimos anos, parece ter ocorrido uma mudança na percepção coletiva do que é possível. O despertar espiritual não é mais o domínio de praticantes de elite; de repente, está ao alcance de todos nós.

Como uma editora que vem disponibilizando ensinamentos de sabedoria espiritual por mais de duas décadas, fico tanto entusiasmada com essa nova onda de interesse no despertar quanto um pouco apreensiva com a confusão, os mal-entendidos e as distorções potenciais que com frequência acompanham a ideia de "percepção" ou "entendimento". Para início de conversa, o termo *despertar espiritual* tem significados bem diferentes para as pessoas. Normalmente, pergunto a mim mesma se elas compreendem não só o que se ganha por meio desse processo, mas também – e talvez, mais importante – o que se *perde*. Além disso, à medida que o despertar espiritual se populariza cada vez mais, tenho visto inúmeras pessoas falarem de seu despertar sob uma perspectiva do ego, apropriando-se da alegação de despertar para, de alguma forma, sentirem-se melhor e "mais despertas" do que outras. O que mais me preocupa é o número de pessoas que negam qualquer coisa em sua experiência – seja raiva, depressão ou problemas familiares – que contradiga sua ideia do que significa ser uma pessoa desperta.

Há pouco mais de um ano, estava ao telefone com Adya reclamando desse fenômeno – de encontrar várias pessoas que pareciam compreender mal o despertar espiritual e que, de fato, estão se distanciando da experiência rapidamente, em nome de estarem despertas. Adya mencionou que na verdade estava dando palestras justamente sobre esse tópico – sobre os conceitos equivocados, ciladas e desilusões que podem ocorrer após uma experiência inicial de despertar espiritual. Imediatamente e com grande entusiasmo perguntei-lhe se ele não daria uma série de palestras sobre esse assunto para que a *Sounds True* pudesse publicar tais ensinamentos tanto em áudio quanto no formato de texto. Ele concordou, e o resultado é *O despertar autêntico: como lidar com o fim do seu mundo*.

Como Adya afirma no Capítulo Um, existem pouquíssimos recursos disponíveis para pessoas que, após uma experiência inicial de despertar espiritual, querem entender como o processo continua e evolui. Que este livro possa ser um guia útil e mais um catalisador para essa que é a maior das aventuras.

Tami Simon
Editora-chefe, Sounds True
Junho de 2008
Boulder, Colorado

CAPÍTULO UM

Explorando a vida *após* o despertar

Há um fenômeno em curso no mundo atual. Mais e mais pessoas estão despertando para algo que está muito além de qualquer coisa que sabiam existir – tendo vislumbres verdadeiros, autênticos da realidade. Com isso quero dizer que as pessoas parecem viver momentos em que despertam de suas percepções familiares do *self*, de seus sentimentos habituais do que é o mundo, e entram em uma realidade muito maior.

Essas experiências de despertar diferem de pessoa para pessoa. Para algumas, o despertar é sustentado ao longo do tempo, enquanto para outras o vislumbre é momentâneo – pode durar apenas uma fração de segundo. Mas, naquele instante, todo o senso de *self* desaparece. A forma como as pessoas percebem o universo muda repentinamente, e não há qualquer sentido de separação entre elas e o resto do mundo. Essa experiência pode ser comparada à do despertar de um sonho – de um sonho em que você nem sabia que estava mergulhado até ser catapultado dele.

No início do meu trabalho como professor, a maioria das pessoas que chegavam a mim estava buscando percepções, ou entendimentos, mais profundos da espiritualidade. Buscavam despertar das concepções limitadas e isoladas do *self* que imaginavam ser. É esse anseio que sustenta toda busca espiritual: descobrir por nós mesmos o que já intuíamos ser verdadeiro – que existe mais na vida do que percebemos no momento.

Mas com o passar do tempo, mais e mais pessoas que já tiveram vislumbres de uma realidade maior estão me procurando. É por elas que ofereço os ensinamentos neste livro.

O nascimento do despertar

A descoberta de que falo é tradicionalmente conhecida como *despertar espiritual*, pois alguém desperta do sonho da separação criado pela mente egoica. Compreendemos – muitas vezes repentinamente – que nosso senso de *self*, que foi formado e construído a partir de nossas ideias, crenças e imagens, na verdade não é quem somos. Não nos define; não tem centro. O ego pode existir como uma série de pensamentos passageiros, crenças, ações e reações, mas, em si e de si, não tem identidade. Na essência, todas as imagens que temos de nós e do mundo passam a ser nada mais do que uma resistência às coisas como são. O que chamamos de *ego* é simplesmente o mecanismo que nossa mente usa para resistir à vida como ela é. Dessa forma, o ego não é um objeto tanto quanto um verbo. É a resistência ao que é. É o afastar ou o atrair. Esse *momentum*, esse agarrar e rejeitar, é o que forma o senso de um *self* que é distinto, ou separado, do mundo à nossa volta.

Com o nascimento do despertar, este mundo externo começa a entrar em colapso. Quando perdemos nosso senso de *self*, é como se perdêssemos todo o mundo como o conhecíamos. Nesse momento – seja ele apenas um vislumbre ou algo mais prolongado –, de repente percebemos com incrível clareza que o que verdadeiramente somos de maneira alguma está limitado ao pequeno senso de *self* que pensávamos ser.

É muito difícil falar sobre o despertar para a verdade ou para a realidade, pois isso transcende o discurso. Porém, é útil trabalhar com algum tipo de sinalização. A coisa mais simples que se pode dizer sobre o conhecimento vivencial de despertar é que se trata de *uma mudança na percepção de alguém*. Esse é o âmago do despertar. Há uma mudança na percepção de ver a si mesmo como um indivíduo isolado para ver a si mesmo, se ainda houver um senso de *self* após essa mudança, como algo muito mais universal – tudo e todos, e todos os lugares simultaneamente.

Essa mudança não é revolucionária; é o mesmo que se olhar no espelho pela manhã e ter um sentimento intuitivo de que o rosto para o qual você olha é seu. Não é uma experiência mística; é uma experiência simples. Ao olhar-se no espelho, você experiencia o simples reconhecimento, "Ah, esse sou eu". Quando a mudança de percepção chamada de despertar acontece, sejam quais forem os sentidos acionados, isso é vivenciado como sendo nós mesmos. É como se pensássemos em relação a tudo que encontramos, "Ah, esse sou eu". Não experienciamos a nós mesmos em termos de nosso ego, em termos de alguém separado ou de uma entidade separada. É mais um sentimento do Uno reconhecendo a si mesmo, ou do Espírito reconhecendo a si próprio.

O despertar espiritual é um recordar. Não se trata de nos tornarmos algo que não somos. Não se trata de nos transformarmos. Não se trata de mudarmos a nós mesmos. É um recordar do que somos, como se soubéssemos disso há muito tempo e simplesmente tivéssemos esquecido. No momento em que ocorrer esse recordar, se o evento for autêntico, não é visto como algo pessoal. Não existe um despertar "pessoal", uma vez que "pessoal" implicaria separação. "Pessoal" implicaria que sou "eu" ou o ego que desperta ou se ilumina.

Em um verdadeiro despertar, compreende-se muito claramente que mesmo o próprio despertar não é pessoal. É o Espírito universal ou a consciência universal que desperta para si mesmo. Em vez do "eu" despertar, o que somos desperta *do* "eu". O que somos desperta do buscador. O que somos desperta da busca.

O problema de se definir o despertar é que, ao ouvir cada uma dessas descrições, a mente cria outra imagem, outra ideia sobre o que é essa verdade máxima ou realidade absoluta. Assim que tais imagens são criadas, nossa percepção é mais uma vez distorcida. Dessa forma, é realmente impossível descrever a natureza da realidade, exceto para dizer que não é o que pensamos ser, e não é o que nos foi ensinado. Em verdade, *não somos capazes de imaginar o que somos*. Nossa natureza está literalmente além de toda imaginação. O que somos é *aquilo que está observando* – aquela consciência que está nos observando, fingindo ser uma pessoa separada. Nossa verdadeira natureza está continuamente participando de todas as experiências, desperta para cada instante, para cada e todo momento.

No despertar, o que nos é revelado é que não somos nem uma coisa, nem uma pessoa, nem mesmo uma entidade. O que somos é aquilo que se manifesta como todas as coisas, como todas as experiências, como todas as personalidades. Somos aquilo que sonha todo o mundo em existência. O despertar espiritual revela que aquilo que é indizível e inexplicável é, na verdade, o que somos.

O DESPERTAR PERMANENTE E O NÃO PERMANENTE

Como mencionei, a experiência de despertar pode ser apenas um vislumbre, ou pode ser sustentada com o passar do tempo. Alguns diriam que se um despertar é momentâneo, não é um despertar verdadeiro. Há quem acredita que com o despertar autêntico, a sua percepção se abre para a verdadeira natureza das coisas e jamais se fecha novamente. Posso compreender essa perspectiva, já que, no final das contas, a jornada espiritual plena realmente nos conduz a um despertar total. O despertar pleno simplesmente significa que percebemos a partir da perspectiva do Espírito – da visão da Unidade – continuamente. A partir dessa perspectiva desperta, não há nenhuma separação em nenhum lugar – não no mundo, não no universo, não em todos os universos. A verdade está em qualquer lugar e em todo lugar, em todos os tempos, em todas as dimensões, para todos os seres. É uma verdade que corresponde à fonte de todas as coisas que serão vivenciadas alguma vez – na vida, após a vida, nesta dimensão ou em qualquer outra dimensão.

Da perspectiva do absoluto, literalmente tudo – esteja em uma dimensão mais elevada ou inferior, aqui ou lá, ontem, hoje ou amanhã, tudo – nada mais é do que uma manifestação do Espírito. É o próprio Espírito que desperta. Assim, essencialmente, a trajetória em que todo ser se encontra, quer ele ou ela saiba disso ou não, é uma trajetória rumo ao despertar pleno – rumo ao saber pleno, rumo a um conhecimento vivencial pleno do que ele ou ela é, rumo à Unidade.

O momento do despertar pode ou não resultar em uma visão permanente. Conforme eu disse, algumas pessoas lhe dirão que, salvo se permanente, o despertar não é real. Como professor tenho visto que tanto a pessoa que tem um vislumbre momentâneo, além do véu da dualidade, como aquela que tem uma percepção permanente, "duradoura", veem e experimentam a mesma coisa. Uma vivencia o despertar momentaneamente; outra o experiencia de modo contínuo. Mas o evento vivenciado, se for o despertar verdadeiro, é o mesmo: tudo é um; não somos algo ou alguém particular que possa ser situado em um espaço particular; o que somos é nada e tudo, simultaneamente.

Portanto, como eu o vejo, realmente não importa se um despertar é instantâneo ou contínuo. Importa no sentido de que há uma trajetória – o coração de nenhuma pessoa será totalmente preenchido até que essa percepção a partir da verdade seja contínua –, mas o que é visto é um despertar, seja sustentado ou não.

Esse vislumbre do despertar, que eu chamo de *despertar não permanente*, está sendo cada vez mais comum. Acontece por um momento, uma tarde, um dia, uma semana – talvez por um mês ou dois. A consciência se abre, o senso de *self* separado desaparece e então, como o fechamento das lentes de uma câmera, a consciência é bloqueada outra vez. De repente, a pessoa que antes percebia a verdadeira não dualidade, a Unidade verdadeira, surpreendentemente passa a perceber através do "estado de sonho" dualístico. No estado de sonho, retornamos ao nosso senso de *self* condicionado – em um sentido de ser limitado, isolado.

A boa notícia é que quando realmente há um momento dessa visão, a abertura de nossa consciência jamais se fecha por completo novamente. Pode até parecer que a visão tenha se apagado por inteiro, mas isso não ocorre. Em nossa essência mais profunda, nunca esquecemos. Mesmo que tenhamos vislumbrado a realidade só por um momento, algo dentro de nós é mudado para sempre.

A realidade é nuclear; é incrivelmente poderosa. É inimaginavelmente potente. As pessoas podem experienciar um *flash* da realidade no tempo de um estalar de dedos, e a energia e a força que as penetram, como resultado, altera toda a vida. Somente um momento de despertar começa a dissolução do falso senso de *self* e, em seguida, a dissolução de toda a percepção de mundo.

O DESPERTAR NÃO É O QUE IMAGINAMOS SER

Em um sentido bem verdadeiro, é muito mais exato falar sobre o que *perdemos* ao despertar do que sobre aquilo que ganhamos. Não perdemos somente nós mesmos – quem pensávamos ser –, mas também perdemos toda a nossa percepção do mundo. A separação é apenas uma percepção; de fato, quando se trata do nosso mundo, não há nada a não ser percepção. "Seu mundo" não é seu mundo; é apenas sua percepção. Assim, embora possa parecer negativo à primeira vista, penso ser muito mais proveitoso falar sobre o despertar espiritual em termos do que perdemos – daquilo *do que* despertamos. Isso significa que estamos falando da dissolução da imagem que temos de nós mesmos, e é esse desmantelar de quem pensávamos ser que se revela tão espantoso quando alguém desperta.

E é realmente espantoso: não é como pensamos, em absoluto. Nunca tive um único aluno que retornasse e dissesse: "Sabe, Adya, espreitei pelo véu da separação e é bem parecido com o que eu pensava que fosse. É bem próximo do que me disseram". No geral os alunos retornam e dizem: "Não é nada parecido com o que imaginei".

Isso é especialmente interessante, já que muitas das pessoas a quem ensino estudam a espiritualidade há anos, e com frequência têm ideias muito intricadas sobre como será o despertar. Quando isso ocorre, é sempre diferente de suas expectativas. De muitas maneiras, é grandioso, mas de várias outras, é mais simples. Na verdade, se é para ser verdadeiro e genuíno, o despertar *deve* ser diferente daquilo que imaginávamos ser. Isso acontece porque todas as nossas fantasias sobre o despertar estão acontecendo dentro do paradigma do estado de sonho. Não é possível imaginar algo fora do estado de sonho quando nossa consciência ainda está contida nele.

Como sua vida muda após o despertar?

Com o despertar, acontece também uma reorganização total na maneira como percebemos a vida – ou pelo menos o início de uma reorganização. Isso porque o despertar propriamente dito, ainda que lindo e incrível, com frequência traz consigo um senso de desorientação. Mesmo que você, como Uno, tenha despertado, ainda há toda a sua estrutura humana – seu corpo, sua mente e sua personalidade. O despertar pode com frequência ser experienciado como algo muito desorientador para essa estrutura humana.

Por isso, quero explorar o processo que ocorre *após* o despertar. Como eu disse, para pouquíssimas pessoas o momento do despertar será completo, definitivo em certo sentido, e não haverá necessidade de um processo progressivo. Poderíamos dizer que tais pessoas tinham uma carga cármica extremamente leve; embora tenham vivenciado um sofrimento extremo antes do despertar, pode-se dizer que sua herança cármica, o condicionamento com que estavam lidando, não era tão profunda. Isso é muito raro. Somente algumas pessoas em determinada geração podem despertar assim, sem passar por um processo continuado.

O que sempre digo às pessoas é isto: não espere que esse alguém seja você. É melhor esperar que seja outra pessoa, o que significa que vai passar por um processo depois de um despertar inicial. Não será o fim de sua jornada. O que vou tentar fazer aqui é apontar-lhe uma direção que possa ser útil e orientadora quando você embarcar nessa jornada. Como minha professora costumava dizer, é como colocar o pé na porta de entrada. Mas o fato de ter o pé na porta de entrada não significa que tenha acendido as luzes; não quer dizer que tenha aprendido a navegar nesse mundo diferente para o qual despertou.

Estou muito feliz por este livro, que se baseia em uma série de palestras que proferi, dar-me a oportunidade de tratar deste assunto: o que acontece *após* o despertar. As informações que existem sobre a vida após o despertar normalmente não se tornam públicas. Em geral, são compartilhadas somente entre os professores espirituais e seus alunos. O problema com tal abordagem é que, como já disse, muitas pessoas estão agora passando por esses momentos de despertar, e há pouquíssimo ensinamento coerente disponível para elas. Nesse sentido, o intuito deste livro é dar as boas-vindas a esse novo mundo, a esse novo estado de Unidade.

Neste ponto, gostaria de me dirigir àqueles que estão pensando "Bem, *eu* não tive um desses vislumbres. Não creio que esteja realmente desperto". Outros podem não estar certos se o que vivenciaram é o despertar ou não. Onde quer que você se encontre nesse caminho, acredito que estas informações são relevantes. Pois, no fim das contas, o que ocorre *após* o despertar é relevante para o que ocorre *antes* do despertar.

De fato, o processo espiritual não é diferente antes ou depois do despertar. Só que após o despertar, o processo ocorre sob uma perspectiva diferente; você pode pensar nele como uma visão aérea *versus* uma visão do solo. Antes do despertar, não sabemos quem somos. Pensamos ser uma pessoa separada, isolada, em um corpo específico, caminhando por um mundo que é distinto de nós. Quando o despertar acontece, ainda estamos caminhando nesse mundo, mas sabemos que não estamos limitados a um corpo ou personalidade específicos, e que, na verdade, não somos separados do mundo à nossa volta.

É também importante notar que não ficamos imunes a percepções equivocadas simplesmente porque tivemos um vislumbre do despertar. Certos condicionamentos e fixações irão perdurar mesmo quando passamos a perceber a partir de um lugar de

Unidade. O caminho após o despertar, então, é um caminho de dissolução de nossas fixações *remanescentes* – nossas preocupações, poderíamos dizer. Portanto, não é tão diferente do caminho *para* o despertar, que é o caminho da dissolução de certas ilusões que temos, certas tendências que adquirimos. A diferença está em que antes do despertar a estrutura de nossa personalidade sente-se muito mais oprimida, muito mais pesada, muito mais densa, pois toda a nossa identidade está na verdade envolvida por nosso condicionamento. Após o despertar, sabemos que o condicionamento de nosso sistema corpo-mente não é pessoal; sabemos que ele não nos define. Esse conhecimento, essa verdade viva, torna muito mais fácil e bem menos ameaçador o lidar com o desatar de nossas ilusões.

Portanto, há uma grande similaridade entre o que estamos fazendo espiritualmente antes do despertar e o que fazemos depois. Atuamos sob perspectivas diferentes: antes de despertar, agimos sob a óptica da separação; após o despertar, atuamos sob a óptica da não separação. Mas *o que* estamos realmente fazendo – a abordagem, o processo propriamente dito – é bem similar. Poder-se-ia dizer que o despertar está apenas acontecendo em níveis diferentes de ser. Dessa forma, quase tudo que discutirei nos próximos capítulos pode ser aplicado onde quer que você se encontre; pode ser traduzido para sua própria experiência.

A disposição para questionar tudo

Conforme digo muitas vezes aos meus alunos, não apresento meus ensinamentos como afirmações da verdade, porque tentar colocar a verdade em palavras é uma insensatez. É a postura que frequentemente assumimos antes de despertar – conceitualizamos a verdade e, então, acreditamos no conceito. Portanto, em vez de ensinar algum tipo de teologia ou filosofia, apresento meus ensinamentos como estratégias. Estou lhe oferecendo estratégias para despertar e estratégias para ajudá-lo com o que acontece depois do despertar.

Todas as palavras que utilizo são concebidas como indicadores. Na tradição zen há o seguinte ditado: "Não confunda o dedo que aponta para a lua com a lua em si". Embora possamos ouvir isso centenas de vezes, ainda temos a tendência de cometer esse erro, repetidas vezes. Portanto, enquanto uso muitas palavras, estabeleço certos contextos e utilizo certas metáforas, peço ao leitor que tenha em mente ser preciso *despertar para* tudo que estou ensinando. Tudo deve ser *vivido* para ser real. Nada que eu diga substitui a experiência real, direta, de conhecer o que você verdadeiramente é. É preciso estar disposto a questionar tudo, a parar e se perguntar: "Eu de fato sei o que penso saber, ou simplesmente assumi as crenças e opiniões de terceiros? O que realmente *sei*, e no que eu quero acreditar ou imaginar? O que sei com certeza?".

Essa pergunta – "O que sei com certeza?" – é tremendamente poderosa. Quando você mergulha a fundo nessa questão, ela realmente destrói seu mundo. Destrói todo o seu senso de *self*, e é destinada a isso. Você passa a se dar conta de que tudo o que pensa saber sobre si mesmo, tudo o que pensa saber sobre o mundo, está baseado em suposições, crenças e opiniões – coisas em que acredita porque lhe ensinaram ou lhe disseram que eram verdadeiras. Até que comecemos a enxergar essas percepções falsas como aquilo que verdadeiramente são, a consciência estará aprisionada no estado de sonho.

Da mesma forma, assim que nos permitimos constatar "Meu Deus, eu não sei quase nada: eu não sei quem sou; não sei o que é o mundo; não sei se isto é verdadeiro; não sei se aquilo é verdadeiro", algo em nosso ser se abre. Quando estamos dispostos a pisar no desconhecido e na sua inerente insegurança, sem recuar para nos escondermos ou nos confortarmos; quando estamos dispostos a ficar de pé como se enfrentássemos um vento que se aproxima, sem retroceder, finalmente podemos encarar nosso *self* verdadeiro.

Investigar a pergunta "O que sei com certeza?" é também uma ferramenta inestimável uma vez que o despertar tenha ocorrido. Fazer essa pergunta a si mesmo auxilia na dissolução de limitações e ideias, bem como da tendência para fixar – que continuam após o despertar.

Não importa em que ponto você esteja no caminho, pois o mais importante é essa disposição interna de se levantar e fazer essa pergunta, de estar aberto e ser sincero quanto ao que encontrar. Essa é a espinha dorsal da qual dependem a totalidade de seu despertar e sua vida após o despertar.

CAPÍTULO DOIS

O DESPERTAR AUTÊNTICO – E A DESORIENTAÇÃO QUE PODE ADVIR

Muito do que nos é dito sobre o despertar soa como uma conversa de vendedor sobre a iluminação. Nessas conversas, somente os aspectos mais positivos nos são contados; talvez sejam mencionadas coisas que não sejam realmente verdadeiras. Nas conversas de vendedor sobre o despertar, nos é dito que iluminação é só amor e êxtase, compaixão e união, e uma horda de outras experiências positivas que frequentemente estão envoltas em histórias fantásticas, de forma que passamos a acreditar que o despertar tem a ver com milagres e poderes místicos.

Uma das conversas de vendedor mais comuns inclui descrever a iluminação como uma experiência de bem-aventurança. Como resultado, as pessoas pensam: "Quando eu despertar espiritualmente, quando estiver em união com Deus, vou entrar em um estado constante de êxtase". Isso, claro, é um profundo mal-entendido em relação ao que é o despertar. Pode haver bem-aventurança *com* o despertar, pois esse estado é na verdade um subproduto do despertar, mas não é propriamente o despertar. Enquanto estivermos buscando os subprodutos do despertar, vamos perder o que é real. Isso é um problema, pois várias práticas espirituais tentam reproduzir seus subprodutos do despertar sem causar o despertar em si. Podemos aprender certas técnicas meditativas – entoar mantras ou cantar *bhajas*, por exemplo –, e certas experiências positivas serão produzidas. A consciência humana é tremendamente maleável, e ao participar de determinadas práticas, técnicas e disciplinas espirituais, é possível realmente produzir vários dos subprodutos do despertar – estados de bem-aventurança, abertura e assim por diante. Mas o que muitas vezes ocorre é que ficamos *somente* com os subprodutos, sem o despertar propriamente dito.

É importante que saibamos o que *não* é o despertar, de forma que não mais corramos atrás de seus subprodutos. Precisamos abrir mão de perseguir os estados emocionais positivos por meio da prática espiritual. O caminho do despertar não tem a ver com emoções positivas. Ao contrário, a iluminação pode não ser simples ou positiva, em absoluto. Não é fácil ter nossas ilusões esmagadas. Não é fácil abandonar percepções mantidas por tanto tempo. Podemos experimentar grande resistência para ver claramente até mesmo as ilusões que nos causam imensa dor.

Isso é algo que está incluído no pacote e muitas pessoas não sabem quando iniciam uma busca pelo despertar espiritual. Como professor, uma das coisas que descubro relativamente rápido sobre os alunos é se eles estão interessados no que é real, se buscam realmente a verdade, ou se eles querem no fundo apenas se sentir melhor. O processo de descobrir a verdade pode não ser um percurso em que nos sintamos cada vez melhores. Pode ser um processo durante o qual precisamos olhar as coisas de maneira honesta, sincera e verdadeira, e fazer isso pode ser fácil ou não.

O chamado sincero da realidade para a realidade, o sincero chamado para o despertar, vem de um lugar muito profundo dentro de nós. Vem de um lugar que quer a verdade mais do que sentir-se bem. Se nossa orientação for simplesmente a de nos sentirmos melhor a cada momento, então vamos continuar nos iludindo, porque a tentativa de nos sentirmos melhor no momento é exatamente o modo *como* nos iludimos. Achamos que nossas ilusões fazem que nos sintamos melhor. Para despertar, é preciso romper com o paradigma de sempre procurarmos nos sentir melhor. É claro que queremos nos sentir melhor; é parte da experiência humana. Todos querem se sentir melhor. Somos programados para buscar mais prazer e menos dor. Mas existe um impulso ainda mais profundo em nós, e esse é o que descrevo como o impulso para o despertar.

É esse impulso para o despertar que nos dá a coragem de olhar para todas as formas pelas quais nos iludimos. É um impulso que nos chama a assumir a responsabilidade por nossa própria vida. Não podemos chegar à iluminação andando à sombra de um professor iluminado; não funciona dessa forma. Tentar fazer isso torna-nos cegos; significa que não queremos pensar por nós; significa que não queremos examinar as coisas por nós mesmos. Quando fazemos cegamente o que nos é dito – seguindo sem questionar um ensinamento apenas porque é antigo ou reverenciado – acabamos exatamente com o que pedimos: a cegueira.

Outro grande mal-entendido sobre o despertar ou a iluminação é que se trata de algum tipo de experiência mística. Podemos esperar uma experiência semelhante à união com Deus; uma fusão com o ambiente ou uma dissolução no oceano. Não é o caso. Tampouco equivale o despertar a ter repentinamente uma quantidade tremenda de *insights* cósmicos – *insights* sobre como todo o universo é construído; *insights* sobre o funcionamento interno do que pensamos ser a realidade.

Eu poderia prosseguir, mas o essencial é compreender que o despertar espiritual é bem diferente de se ter uma experiência mística. Experiências místicas são lindas. De muitas maneiras, são as experiências mais elevadas e prazerosas que um "eu" pode ter. O "eu" está sempre buscando união. Na verdade, muitas das práticas espirituais em que as pessoas se envolvem são voltadas a produzir experiências místicas desse tipo, seja uma experiência de fusão ou visão de divindades, seja uma em que nossa consciência se expanda pelo tempo e espaço. Porém, mais uma vez, experiências místicas não são o mesmo que despertar.

Não estou afirmando que experiências místicas não têm valor; e não estou afirmando que elas não são transformadoras, pois geralmente são. Experiências místicas podem mudar a estrutura do *self* egoico de uma maneira radical, e muitas vezes de formas bem positivas. Assim, no mundo relativo das coisas, as experiências místicas têm um valor. Mas quando falamos de despertar espiritual, não estamos nos referindo a experiências pessoais. Estamos falando do despertar *vindo do* "eu". Estamos falando de passar de um paradigma a outro completamente diferente, de um mundo a outro.

Não quero insinuar que alguém desperto não vê o mesmo mundo que você vê. Assim como você vê uma cadeira, alguém desperto vê uma cadeira. Você vê um carro, e alguém desperto vê o carro. A diferença é que quando alguém está verdadeiramente desperto, quando alguém ultrapassou o véu da dualidade, coisas que parecem diferentes e distintas às outras pessoas são percebidas como sendo essencialmente a mesma. Vemos a cadeira e, ao mesmo tempo, não nos vemos separados da cadeira. Tudo que enxergamos, tudo que sentimos, tudo que ouvimos, é literalmente uma manifestação da mesma coisa.

Uma das características de um verdadeiro despertar é o fim da busca

Com um despertar verdadeiro e autêntico, quem e o que somos tornam-se claros. Não há mais dúvida a respeito; é um fato consumado. Dessa forma, uma das características de um verdadeiro despertar é o fim da busca. Você não sente mais o *momentum*, a atração e a repulsão. O buscador foi revelado como a realidade virtual que sempre foi, e, como tal, desaparece. O buscador, em certo sentido, cumpriu sua tarefa. Ofereceu o *momentum* necessário para ajudar a impelir a consciência ou Espírito a deixar sua identificação com o estado de sonho, propiciando o retorno a seu estado de ser natural.

Agora, se for o tipo permanente de despertar, então o buscador e a busca estão completamente dissolvidos. Se, por outro lado, o despertar for de caráter não permanente, então o buscador e a busca podem estar no processo de dissolução, mas ainda não totalmente dissolvidos. De toda maneira, essa dissolução do buscador em si pode transformar a vida de uma pessoa. Para aqueles de nós que estão em um caminho espiritual, toda a nossa identidade pode ter se dedicado integralmente em ser um buscador. A vida pode ter sido literalmente definida pela busca espiritual, pelo anseio por Deus, por união ou por iluminação.

Então, de repente, acontece o despertar. O buscador, a busca e toda a estrutura egoica que é construída em torno da busca espiritual, repentinamente, se vão. Essa identidade é vista para ser o que é – sem sentido e inútil – e desmorona.

A LUA DE MEL DO DESPERTAR

O desmoronamento do buscador pode ser experienciado como um grande alívio. Ele marca o que gosto de chamar de *a lua de mel do despertar*. Pelo menos para mim, essa queda do buscador e da busca foi vivenciada como se um peso enorme tivesse sido retirado de meus ombros. Foi uma experiência muito física. Literalmente, senti como se um peso tivesse sido removido – um peso que eu não tinha a menor ideia de estar carregando.

Essa é uma experiência comum para as pessoas após o despertar. No momento em que a consciência desperta de seu sonho de separação, há uma imensa sensação de alívio. É por isso que algumas pessoas começam a rir ou chorar, ou têm algum outro tipo de profunda descarga de energia – elas sentem o alívio de, finalmente, estar fora do estado de sonho. Algumas vezes refiro-me a esse momento como *o primeiro beijo*. Despertar é como seu primeiro beijo espiritual, seu primeiro beijo real de realidade, sua apresentação à verdade de quem e do que você é.

Essa lua de mel pode durar um dia, uma semana, seis meses ou alguns anos. Ela muda de pessoa para pessoa. O que caracteriza o período de lua de mel é o fluxo total – não há resistência em seu ser, em sua experiência. Tudo flui. A vida é um fluxo; tudo simplesmente parece acontecer por vontade própria. É o conhecimento vivencial de que na verdade tudo *está sendo feito*, de que você, como uma entidade separada, não *está fazendo* nada.

No sentido mais profundo, essa lua de mel é uma experiência de total e absoluta não resistência. Dentro dessa não resistência, a vida flui maravilhosa e lindamente, quase de forma mágica. As coisas surgem quando precisam surgir. Decisões são tomadas sem, de fato, serem tomadas; tudo tem um sentido de obviedade. É a experiência do Espírito completamente desobstruída, não corrompida pela ilusão, pelo condicionamento ou pela contradição. Esse fluxo pode ser uma experiência momentânea ou pode se prolongar por mais tempo. Algumas pessoas ficam tão absorvidas pela lua de mel que se tornam quase incapacitadas por um tempo, perdidas no estado de bem-aventurança por uma semana, um mês ou mesmo anos.

Em tempos antigos, pessoas que passavam por essa experiência iam para ambientes protegidos, como mosteiros – lugares onde todos ao redor compreendiam o que estava ocorrendo. Elas eram colocadas em uma pequenina e agradável cela e deixadas sozinhas para que o processo acontecesse. Eram bem afortunadas de vivenciar o despertar em um contexto no qual esse evento era compreendido, visto como normal, e de terem o espaço que o processo requeria.

Na sociedade atual, a maioria de nós que atinge essa compreensão não vive em mosteiros; não estamos em um ambiente particularmente acolhedor. De fato, em nossa sociedade é possível alcançar a compreensão de modo surpreendente no sábado e estar de volta ao escritório na segunda-feira de manhã. Se sua mente ainda estiver arrebatada pela bem-aventurança, isso pode ser muito desorientador! Ainda assim, é a realidade da situação em que vivemos. A maioria das pessoas modernas não pode se dar ao luxo de se sentar em uma caverna por alguns meses e deixar as coisas se acomodarem naturalmente. Esse é o estado do nosso mundo, e pode ser desafiador para algumas pessoas.

A DESORIENTAÇÃO QUE FREQUENTEMENTE OCORRE APÓS O DESPERTAR

Que a duração da lua de mel com o despertar dure um dia ou um ano, em algum momento a pessoa começa a olhar ao redor e percebe que as coisas mudaram bastante. Aquilo que nos orientava em nossa vida não existe mais. As crenças a que nos agarrávamos e que costumavam nos definir agora se revelam vazias e sem substância. Muita da nossa motivação egoica desapareceu, o que pode ser bastante desorientador para a mente. É apenas nesse ponto específico que as pessoas começam a perceber que quase tudo que previamente as motivou na vida era autocentrado. Não me refiro a isso de forma negativa ou intolerante; simplesmente quero dizer que a força motivadora que nos impulsiona no transcorrer da vida, quando estamos no estado de sonho, é muito autocentrada. Nossas motivações foram alimentadas por "O que eu quero?" e "O que não quero?". Estamos constantemente nos fazendo essas perguntas. "O que posso atingir? Quem vai me amar? Quanta alegria posso obter? Quanta felicidade posso alcançar? Quanta infelicidade posso evitar? Posso conseguir o trabalho certo? Posso encontrar o amante certo? Vou me iluminar?" Essas são motivações autocentradas, no sentido de que a energia provém do estado egoico de consciência.

Novamente, isso não é ruim ou errado; é apenas como é. O estado de sonho é o estado no qual percebemos a separação, em que pensamos ser uma entidade separada e um ser separado. Esse ser separado está sempre buscando alguma coisa – amor, aprovação, sucesso, dinheiro, talvez até iluminação. Mas com o despertar verdadeiro, toda a estrutura de separação começa a se dissolver sob nossos pés.

Ainda existe um ser humano aí; não desaparecemos em uma nuvem de fumaça. Mesmo nossa personalidade permanece intacta. Jesus tinha uma personalidade; Buda tinha uma personalidade. Todos que caminham pela Terra têm uma personalidade. Bebês, quando deixam o ventre da mãe, têm personalidade. É uma das belezas de ser, o fato de que cada um tem uma personalidade diferente. Cães e gatos, pássaros, inclusive as árvores têm diferentes personalidades.

A diferença é que após ver além do véu da separação, a *identificação* com nossa personalidade específica começa a se dissolver. Mesmo que tenhamos enxergado muito profundamente e a transformação tenha sido grande, ainda há uma estrutura básica de personalidade presente. Mas o que costumava alimentar nossa personalidade, todos os seus princípios orientadores e motivações autocentradas, ou se dissiparam ou estão em processo de desaparecimento.

Particularmente, tive meu primeiro vislumbre além do véu aos 25 anos. Foi do tipo não permanente; não foi um despertar permanente. No entanto, alguma coisa daquela percepção jamais me deixou. Em algum lugar dentro de mim eu sempre soube que tudo era um – que eu era eterno, que não nascera, não morrera e não fora criado. Compreendi que minha natureza essencial não estava limitada ou confinada à minha estrutura de personalidade ou ao corpo que parecia estar habitando. Houve uma dissolução, de certo modo radical, do mundo como eu o conhecia e do *self* que eu sabia ser. Na verdade, foi bem estranho passar a caminhar por aí sem todas as motivações que previamente nortearam a minha vida. Ainda havia certo resquício de motivação autocentrada e de energia centrada no ego. Mas houve também uma dissolução imensa em termos de ego e da força energética básica derivada do ego. Caminhava dizendo a mim mesmo "Bem, por que deveria fazer isso? Por que deveria fazer aquilo? Realmente não estou mais motivado a fazer isso ou aquilo". As coisas que adorava fazer antes não tinham mais o mesmo apelo. Não que eu resistisse a elas ou odiasse fazê-las, apenas havia uma ausência de energia autocentrada que anteriormente guiara meu interesse naquelas buscas específicas.

Isso não é raro. As pessoas frequentemente chegam a mim e dizem: "Nossa, tinha tanta coisa que eu adorava fazer... costumava ter hobbies e gostava de ir a festas, jantares. Costumava soltar papagaio", ou correr, ou o que quer que gostassem de fazer antes. Digo-lhes que é comum certos interesses começarem a diminuir, sobretudo se o interesse na atividade tiver sido alimentado pela energia da separação. Como esses interesses são literalmente expressões das divisões do ego, de repente parecerá como "Para onde foram?".

Se somos praticantes espirituais, uma das coisas pelas quais esperamos é a dissolução do ego. Reconhecemos a dor do estado egoico e esperamos não ficar confinados a ele para sempre. Mas o despertar propriamente não é o mesmo que a dissolução egoica. Podemos despertar, tenha o ego se dissolvido ou não. De fato, egos muito fortes e mesmo destrutivos podem despertar. O despertar *inicia* o processo. O resultado do despertar – seu efeito colateral ou sequela – é a dissolução radical do ego.

Isso não significa que o ego irá cooperar. Ele pode resistir a essa dissolução com tudo que tem. Pode utilizar todo o seu arsenal. No entanto, o processo começou. E no final, depois de ter tido um vislumbre da realidade, não há nada que você possa fazer para evitar que o ego se dissolva com o tempo.

Mas pode ser muito desorientador quando ocorre essa dissolução. O despertar em si pode ser muito desorientador. Agora você vê que tudo que acreditava ser verdadeiro não é. Agora você vê que a pessoa que pensava ser não é. Isso, em si, pode ser maravilhoso e um alívio tremendo, e simultaneamente pode ser experimentado como algo desorientador. "Quem serei agora? O que vai me mover? O que vai motivar este ser humano?"

É claro que, se alguém está totalmente desperto, essa pessoa não tem tais perguntas. Mas, a princípio, isso é raro. Para a maioria das pessoas há um processo que continua após o despertar. Para a maioria, essas perguntas permanecem. Não há respostas prontas que um professor espiritual possa dar, porque qualquer resposta seria apenas transformada em outro objetivo pelo ego. O mais útil é compreender que ficar desorientado faz parte do processo de despertar; é natural ficar desorientado, porque tudo é novo. Você é novo, sua percepção é nova, e sua percepção de tudo e de todos agora mudou.

A desorientação emerge porque a mente está lutando para se orientar em um novo contexto. É como se você estivesse caindo de um avião. Se você se permitir cair, não terá problemas. Mas assim que começar a se agarrar ao espaço, como se quisesse encontrar suas referências, sentir-se-à muito desorientado; perceberá que não sabe qual direção é para cima e qual é para baixo.

Na visão desperta, a desorientação não é necessariamente inerente; ela surge da mente tentando encontrar orientação. Uma das chaves para a visão desperta é que não há orientação. A realidade não precisa de uma orientação. Se houver uma orientação, é a orientação de um sentimento profundo de relaxamento, de permitir que tudo seja. A rigor, você encontra sua orientação ao não tentar encontrá-la. Você a encontra ao se soltar totalmente.

Há uma fase em que soltamos e, de imediato, parece não surgir em nossa consciência uma nova energia que irá mover a nossa vida. Obviamente, essa energia existe e se move por nós de modo contínuo; é a energia da não divisão. Ela vem diretamente da fonte sem ser distorcida. Mas com frequência existe uma lacuna entre a dissolução de nossas motivações egoicas e o surgimento dessa energia em nossa consciência. Assim, podemos passar por um período de questionamento sobre que nova energia irá nos mover após o despertar.

De novo, o importante é simplesmente permitir que o processo de dissolução egoica ocorra. Para a maioria das pessoas, esse processo de dissolução irá continuar por alguns anos. No meu caso, transcorreu um período de seis anos antes de haver uma compreensão ou despertar ainda mais profundos – não essencialmente diferentes, mas muito mais claros, mais profundos e mais completos. Para que essa compreensão mais profunda acontecesse, foi necessário um período de seis anos de dissolução do ego. Posso ver isso ao olhar para trás. E não sou diferente da vasta maioria das pessoas. Após o primeiro vislumbre do despertar, passamos por um processo que pode conduzir a uma percepção mais clara e muito mais profunda da realidade.

CAPÍTULO TRÊS

"Ganhei, perdi"

Gosto de usar uma metáfora para descrever a jornada do despertar não permanente ao permanente: a de um foguete espacial. Um foguete espacial precisa de um empuxo enorme e de uma quantidade tremenda de energia para decolar e deixar o campo gravitacional enquanto viaja pelo céu e, finalmente, pelo espaço. Se houver combustível suficiente e o foguete se afastar o bastante da Terra, ele pode enfim ultrapassar o campo gravitacional do planeta. Uma vez que esteja além do campo gravitacional da Terra, a Terra não tem mais força para puxá-lo de volta.

Como metáfora, podemos imaginar a estrutura egoica, ou o que chamo de *estado de sonho*, como a Terra. O estado de sonho tem um campo gravitacional: tem a tendência de atrair a consciência para si. É com essa força gravitacional que realmente lidamos ao longo de toda a jornada espiritual. O despertar é o libertar-se dessa força gravitacional. De início, isso pode equivaler simplesmente a deixar o estado de sonho, a despertar do estado de sonho do "eu", da separação e do isolamento. O fato de ter despertado não significa que a consciência tenha passado pela atração gravitacional do estado de sonho. Se não atravessarmos completamente esse campo gravitacional, seremos puxados de volta à experiência do "eu" e à percepção de separação.

Isso causa o que chamo de fenômeno do "ganhei, perdi". As pessoas relatam ter percepções incríveis sobre a verdade, mas no dia seguinte, na semana, no mês ou no ano seguintes, sentem que as perderam. É como um foguete espacial que deixou o solo, elevou-se alguns quilômetros na atmosfera e então ficou sem combustível – e agora está sendo puxado de volta à Terra.

Usar a metáfora do foguete espacial é uma maneira de pensar a respeito do processo de despertar. O momento do despertar em si – o sair do estado de sonho para a realidade – não é um processo. Sempre ocorre espontaneamente. Mas, como afirmei, a dissolução do ego leva algum tempo. Enquanto o momento do despertar é instantâneo, há um processo que se desenrola *a posteriori* – o processo de ir além da força gravitacional do estado de sonho.

"Estou desperto, mas..."

As pessoas chegam até mim e dizem: "Adya, estou desperto, mas...". Claro, assim que elas dizem "mas", como professor, sei que não estão despertas naquele momento. Elas podem ter tido um instante em que romperam os limites da dualidade e perceberam a verdade, mas não experimentaram um despertar permanente; elas não estão despertas agora.

Em termos de despertar, tudo o que importa é o aqui e o agora. O que houve ontem realmente não tem muito a ver com o que está ocorrendo hoje. A questão não é "Eu tive um despertar?". A questão é "O despertar está desperto bem aqui e agora?".

Quando alguém vem até mim e diz: "Adya, tive um despertar", a primeira coisa que quero esclarecer com essa pessoa é se a mente já se apropriou do despertar ou não. Pois se a pessoa está dizendo "eu" como ego, como se o "eu" tivesse tido um despertar, isso é apenas outra ilusão. Se for um despertar verdadeiro, sabemos que não é o "eu" que despertou. O estado de despertar despertou *do* "eu"; o Espírito despertou de sua identificação com o ego.

O ego não desperta; o "eu" não desperta. Não somos o ego; não somos o "eu". Somos aquilo que está desperto para o ego e para o "eu". Somos aquilo que está desperto para o mundo, e somos também todo o mundo, quando visto da perspectiva verdadeira.

Portanto, como professor, quero primeiro descobrir se alguém está reivindicando o despertar desde o ponto de vista do ego. Essa pessoa realmente acredita que o "eu" despertou? Claro, na linguagem convencional usamos termos como *eu* – por isso, é perfeitamente aceitável usar esse tipo de palavra. No entanto, a primeira coisa que tento esclarecer como professor – e a primeira coisa que, penso, todos deveriam esclarecer dentro de si – é que não é o "eu" que despertou. O estado de despertar despertou do "eu".

Ou como às vezes gosto de dizer: é a iluminação que se iluminou. Não é o "eu" que se iluminou. Não é a *pessoa* que se iluminou. É a *iluminação* que se iluminou. Pode ser difícil compreender isso até que alguém o vivencie por si mesmo, mas, claro, tudo na espiritualidade é assim. Tudo deve ser verificado por e em si.

Esse fenômeno do "ganhei, perdi" é a luta, por assim dizer, entre nossa verdadeira natureza e nosso senso de *self* imaginado. Isso significa que nossa consciência ainda não ultrapassou o campo gravitacional do estado de sonho do ego, e assim vacilamos entre nossa verdadeira natureza e nosso senso de *self* imaginado – para a frente e para trás, para a frente e para trás.

Isso pode ser muito desconcertante e parecer esquizofrênico, de certo modo. Vimos a realidade mais profunda das coisas e, então, encontramo-nos de volta ao estado de sonho. Parte de nós ainda conhece a realidade mais profunda; parte de nós sabe que a estrutura egoica não é verdadeira. Parte de nós sabe que, não importa em que nossa mente acredita, seja qual for a interpretação que ela faça, isso é literalmente nada além de um sonho na mente e no corpo. Mas a força gravitacional do estado de sonho pode ainda ser muito forte. Mesmo quando conhecemos a verdade de nosso ser, ainda podemos nos pegar acreditando no ego. Embora saibamos que um pensamento não tem validade, que é absolutamente falso, podemos, ainda assim, nos pegar acreditando nisso.

Antes de despertar, acreditávamos em um pensamento ou não; isso era tudo o que conhecíamos. Era uma coisa ou outra. Mas após um vislumbre do despertar, as coisas podem ficar bem estranhas. É possível acreditar e não acreditar em um pensamento ao mesmo tempo, ou agir de um modo que sabemos não vir da visão unificada que tivemos. É como se nos sentíssemos compelidos a nos comportar de uma maneira que sabemos não ser verdadeira, por forças internas que não compreendemos.

Há muitos exemplos desses tipos de experiência. Se você se reconhece nesse fenômeno, só posso dizer que é muito comum. Isso para não dizer que é confuso. Muitas vezes parece que demos um grande salto para trás, que regredimos. Como é possível acreditar e não acreditar em um pensamento ao mesmo tempo? Como posso conversar com alguém, dizer coisas vindas do ego, sabendo de onde elas vêm, e ainda assim expressá-las? Isso é muito desconcertante.

Nesse ponto, várias pessoas vão assumir que, de alguma forma, cometeram um erro; que algo saiu terrivelmente errado. Mas o importante é saber que nada deu errado. Nenhum erro foi cometido. É apenas a fase seguinte no despertar de um indivíduo. É o próximo desdobramento. Como eu disse, é raro que o despertar inicial de alguém termine em um despertar permanente. Acontece, mas não tão frequentemente quanto o outro tipo de despertar, no qual nossa percepção oscila.

Alguns professores diriam que se o despertar oscilar, então não é um despertar verdadeiro. Não sou um deles, por razões que já descrevi. Se vimos a verdade, nós a vimos. Se a vimos por dois segundos ou por dois mil anos, é a mesma verdade.

Com o despertar, os riscos aumentam

O que fazer nessa fase específica, durante a qual o despertar oscila – acende e apaga, como um interruptor que alguém liga e desliga e sobre o qual você não tem controle?

Em primeiro lugar, você começa a compreender que nada saiu errado, que esse é somente o próximo trecho de sua jornada. Se fugir dessa experiência – se tentar resolver o dilema correndo de volta em busca daquele lugar desperto –, então estará evitando essa parte da jornada. Ao compreender que não existe um problema aqui, verá que ainda pode haver certa confusão e dor, mas está tudo bem com isso; a oscilação pode ser bem dolorosa. Na realidade, é bem mais angustiante agir de um modo que sabemos não ser verdadeiro quando temos clareza de que não é verdadeiro. Anteriormente, talvez tenhamos assumido atitudes baseadas na inverdade, mas não sabíamos disso – estávamos totalmente no estado de sonho. Como disse Jesus, "Perdoai-os, pois não sabem o que fazem". Quando estamos no estado de sonho, não sabemos o que estamos fazendo. Estamos simplesmente agindo a partir de uma programação profunda. Mas, uma vez que tenhamos visto a verdadeira natureza das coisas – depois que o Espírito abriu seus olhos dentro de nós –, repentinamente sabemos o que estamos fazendo. Há uma percepção muito mais exata de se estamos nos movendo ou falando ou mesmo pensando a partir da verdade ou não. De qualquer forma, quando agimos de um lugar de inverdade, apesar de nosso conhecimento, é muito mais doloroso do que quando não sabíamos que nossas ações eram baseadas na falsidade. Quando falamos algo para alguém que sabemos não ser verdadeiro, isso causa uma divisão interna que é muitíssimo mais dolorosa do que quando dizíamos a mesma coisa pensando ser verdadeira.

Portanto, com o despertar, os riscos aumentam. Quanto mais despertos ficamos, mais altos são os riscos. Lembro-me de quando passei um tempo em um mosteiro budista. A abadessa, uma mulher maravilhosa, falou sobre o processo de despertar como o subir uma escada. A cada passo dado, a tendência de olhar para baixo diminui. Tendemos menos a tomar atitudes que sabemos não ser verdadeiras, ou a falar de maneiras que sabemos não ser verdadeiras, ou a fazer coisas que sabemos não vir da verdade. Começamos a compreender que as consequências se tornaram maiores; quanto mais despertos ficamos, maiores são as consequências. Finalmente, as consequências de agir fora da verdade tornam-se imensas; a menor ação ou comportamento que não estejam de acordo com a verdade podem ser insuportáveis para nós.

Esse tipo de responsabilidade não é algo que levamos em consideração quando imaginamos o despertar. Achamos que o despertar será um passe livre para sair da prisão. A princípio, temos uma relação infantil com a liberdade espiritual do despertar. Achamos que a liberdade é algo pessoal; que se trata de nos sentirmos extraordinariamente bem e livres. Mas a liberdade tem muito mais matizes do que isso. Não é algo pessoal; não é uma aquisição para nós.

À medida que nos tornamos mais conscientes, começamos a ver que existem consequências. Há consequências para tudo, e elas vão aumentando conforme nos portamos em desarmonia com o que sabemos ser verdadeiro. Sinceramente, isso é algo maravilhoso. É o que chamo de *graça destemida*. Não é uma graça suave; não é o tipo de graça que seja bela e edificante. Ainda assim, é uma graça. Sabemos que quando agimos a partir do que não é verdadeiro só estaremos nos causando dor. Esse conhecimento é uma graça.

A realidade é sempre verdadeira consigo mesma. Quando estamos em harmonia com ela, vivenciamos a bem-aventurança. Assim que entramos em desarmonia com ela, experimentamos a dor. Essa é a lei do universo; é como as coisas são. Ninguém escapa dessa lei. Para mim, esse conhecimento é uma graça. A realidade é consistente. Brigue com ela, vá contra ela e isso vai ferir – toda vez. Vai feri-lo, vai ferir outras pessoas e contribuirá para o conflito geral de todos os seres.

Mas essa determinação também é bela. Ajuda a nos guiar cada vez mais fundo em nossa verdadeira natureza. Entendemos que nos comportar a partir de qualquer outro lugar que não a nossa verdadeira natureza é destrutivo para nós e, tão importante quanto, para o mundo e para os outros à nossa volta. Quanto mais compreendemos isso, mais somos capazes de nos corrigir quando saímos do curso.

O *MOMENTUM* DE NOSSO CONDICIONAMENTO

Então, por que o despertar oscila? Isso tem a ver principalmente com nosso condicionamento. Existem áreas dentro de nós que estão tão condicionadas que, a princípio, nem mesmo o despertar é capaz de penetrá-las. Desse modo, não nos tornamos totalmente livres.

Outra designação para condicionamento é *carma*, palavra que vem do Oriente e, sem entrar em significados ou explicações esotéricas, significa *causa e efeito*. Refere-se ao condicionamento que recebemos de nossas experiências de vida – as coisas que estamos predispostos a gostar e desgostar, com base em nossa experiência passada.

Nosso condicionamento deriva em grande parte de nossa família de origem, da vida que vivemos, das situações em que nos envolvemos e das experiências de vida que tivemos. Os pais e a sociedade condicionam nosso corpo e mente com suas visões, crenças, moral e normas. Dessa forma, somos levados a gostar de certas coisas e não de outras, a querer que determinadas situações se manifestem e outras não, a perseguir fama ou riqueza ou dinheiro ou espiritualidade ou amor.

Todas essas coisas estão em nosso condicionamento. É um pouco parecido com um programa de computador. Se você tiver um computador e inserir um programa nele, está "condicionando-o" a se comportar de certo modo. É exatamente assim que funciona o condicionamento em um ser humano. As circunstâncias de vida e a criação, e todo o resto, condicionam o ser humano, ou o programam, a se comportar de determinada maneira. Você notará que se conhecer bem uma pessoa, se se tornar o melhor amigo ou amante ou parceiro dela, vai também conhecer seu condicionamento. Assim, é possível predizer com grande exatidão como ela irá reagir em dada circunstância – o que vai querer e o que não vai, o que tende a evitar e o que a atrai. Quando conhecemos o condicionamento de alguém, o comportamento torna-se bem previsível.

A maioria dos seres humanos extrai todo o seu senso de *self* de seu condicionamento. São literalmente condicionados, ordenados e ensinados a ser quem são. Se você é bom, se é mau, se é merecedor ou não, se é adorável ou detestável – tudo isso é condicionamento, e tudo isso cria um falso senso de *self*.

Da mesma forma, somos condicionados a ver o mundo de certa maneira. Somos ensinados a ver o mundo através de certo olhar. Algumas pessoas acham que o mundo é um lugar maravilhoso; outras, que é ameaçador. Algumas tendem a ter um ponto de vista liberal; outras têm uma visão mais conservadora. Tudo isso é parte do condicionamento do corpo e da mente, e tudo isso entra na construção de uma visão dualística da vida e do *self*. É a esse dualismo que me refiro quando falo de condicionamento.

No momento de um despertar verdadeiro, no entanto, o Espírito ou consciência são liberados desse condicionamento; de repente eles despertam de seu próprio *self* condicionado, como se despertassem de um sonho. Somente quando despertamos desse *self* condicionado e ilusório conhecemos o peso e o fardo incríveis desse condicionamento.

No momento do despertar, e talvez por um bom tempo, a sensação de que o condicionamento possa emergir ou tornar-se novamente problemático é totalmente externa. Essa é uma das marcas registradas do estado desperto: a percepção de que alguém jamais poderá se identificar novamente com o *self* condicionado. Parece inimaginável que voltemos novamente a um estado de separação. Esse sentido de finalização é inerente ao estado de despertamento.

No entanto, a grande maioria das pessoas que experimentou o despertar vai, em algum momento, descobrir que seu condicionamento ressurgiu. Decerto o despertar apaga uma quantidade tremenda de condicionamentos; literalmente, apaga-os do sistema. Mas cada indivíduo é diferente no que tange a *quanto* é apagado do sistema. Para algumas pessoas, 10% de seu condicionamento será apagado. Para outras, serão 90%. Ainda para algumas, será algo entre esses dois pontos.

É difícil dizer por que o despertar afeta o condicionamento das pessoas de formas diferentes. Eu poderia fazer especulações e entrar em discussões metafísicas sobre o que estaria acontecendo, mas, no final das contas, o porquê não importa. De toda maneira, estamos lidando com o que estamos lidando. É natural que cada ser tenha um tipo diferente de herança cármica; cada pessoa carrega uma bagagem cármica, e não adianta reclamar se tal bagagem é percebida como maior ou menor do que a de outra pessoa. Ela é o que é. A bagagem cármica não tem muito a ver com a capacidade de alguém despertar, mas pode ter a ver com o que acontece imediatamente após o momento do despertar.

Fazendo a pergunta certa

Quando o despertar de uma pessoa oscila, com frequência ela me pergunta: "Como permaneço em um estado desperto?". Essa não é a pergunta correta. Na espiritualidade, é importante que façamos as perguntas certas. Ficar se perguntando como permanecer em um estado desperto é uma coisa totalmente razoável, mas a própria pergunta está emergindo de um estado de sonho. O Espírito jamais se pergunta: "Como permaneço em mim mesmo?". Isso seria ridículo. Simplesmente não faz sentido, vindo da verdadeira natureza das coisas. O que faz mais sentido é perguntar como você se *desilumina*. A que você ainda se agarra? O que ainda é confuso? Que situações na vida o levam a acreditar que as coisas não são verdadeiras e fazem que você entre em contradição, sofrimento e separação? O que especificamente tem o poder de atrair a consciência de volta ao campo gravitacional do estado de sonho? Não deveríamos perguntar "Como permaneço desperto?", mas "Por que não estou me iluminando? O que *especificamente* está me levando de volta à ilusão?".

Não há resposta para essa pergunta, assim como não há um motivo. Não existe um único caminho para se fazer isso. As pessoas são atraídas pelo campo gravitacional do estado de sonho por muitas razões: suposições inconscientes e padrões de crenças que ainda estão operando, conflitos inconscientes que de algum modo sobreviveram à natureza explosiva do despertar e se reconstituíram, e várias formas de condicionamento.

O processo aqui é entrar no relacionamento certo consigo e olhar profundamente para o que o faz retornar ao estado de transe da separação. Você precisa começar a identificar os caminhos específicos, os pensamentos e crenças particulares que o levam de volta ao sonho.

Essa fase de desdobramentos após o despertar não tem muito a ver com práticas espirituais rarefeitas. Muito do condicionamento que emerge em nosso ser é causado pelos ruídos e quedas da existência. Relacionamo-nos com situações e pessoas, interagimos com amantes, amigos, filhos e com todos. É nesse tecido arenoso da vida que o pneu espiritual toca a estrada. O que você precisa é de disposição para deixar a vida impactá-lo; permitir-se *ver* quando a vida o impacta; ver se você entra em algum tipo de separação quanto a isso, se entra no julgamento, na acusação, no "deveria" ou "não deveria"; se começa a apontar o dedo para algum lugar em vez de apontá-lo para si.

É preciso começar a encarar o fato de que a única pessoa que pode nos fazer sofrer, que pode nos levar a não perceber a ilusão e a separação, que tem todo esse poder, somos nós. Nada no ambiente externo nos leva a perder a noção do estado de sonho. Ninguém que encontramos, nenhuma situação com a qual lidamos, tem o poder de nos fazer sair do despertar. Esse é um dos entendimentos mais importantes que podemos ter. Tudo é um trabalho interno. Tudo é algo que fazemos a nós mesmos – errônea, desavisada e muitas vezes inconscientemente.

A diferença aqui, portanto, é que se despertamos realmente, temos uma relação muito menos pessoal com todo o condicionamento cármico remanescente. Antes do despertar, nosso próprio condicionamento era visto como extraordinariamente pessoal. Nosso condicionamento nos definia. Retirávamos um senso de *self* de nosso condicionamento, do nosso falso *self*, de nossas crenças, opiniões, desejos e de todo o resto. Antes de despertar, estávamos capturados pelo estado de sonho, e esse estado nos definia. Quando o despertar acontece – se for real, se for autêntico –, compreendemos que mesmo se as ilusões persistirem, elas não são pessoais, e não nos definem.

Essa é a nossa grande vantagem. É muito mais fácil trabalhar com algo se nosso senso de *self* não está sendo definido por isso. É muito menos assustador. Uma vez que há a percepção, a partir do estado desperto, de que o próprio carma é impessoal – não tendo a ver com um *self*, com um corpo, com um indivíduo –, a situação de qualquer pessoa torna-se muito mais viável. Compreendemos que o que estamos vivenciando é ilusório, que tem a ver com um *momentum* de mal-entendido.

É como se você estivesse em um automóvel, em alta velocidade pela rodovia e, de repente, tirasse o pé do acelerador. O momento em que seu pé solta o acelerador é uma metáfora para o despertar. "Ah, meu Deus, esse carro não me define. Dirigi-lo não me define. Meu pé no acelerador não me define. Para onde esse carro vai não me define. A paisagem pela qual estou dirigindo não me define. Nada disso tem a ver com quem ou com o que sou." É isso que o despertar revela.

Quando acordamos, não mais estamos alimentando o transe da separação; não estamos mais bombeando energia para isso. Mas mesmo que você jamais coloque seu pé de volta no acelerador, o carro ainda tem um *momentum* – um *momentum* cármico. Ele não para de imediato na maioria dos casos. Ele tem um *momentum* de desaceleração que vai perdendo força com o tempo.

Portanto, podemos também adicionar energia no *momentum* presente. Temos que observar e descobrir quando recuamos e colocamos novamente o pé no acelerador. Toda vez que nos reidentificamos com o condicionamento ou carma, toda vez que acreditamos em um pensamento, depositamos energia de volta no estado de sonho, colocamos nosso pé de volta no acelerador.

O processo após o despertar envolve aprender como manter o pé longe do acelerador e reconhecer o que o leva de volta ao pedal. Mesmo não sendo pessoal – embora a reidentificação seja totalmente espontânea e não esteja acontecendo *a* alguém, e não seja culpa de ninguém –, ainda precisamos investigar como ela acontece.

Nisso, a própria vida é sua maior aliada. Como disse, a vida é onde o pneu espiritual toca a estrada. A vida irá nos mostrar onde não somos transparentes. Relacionarmo-nos com a vida e com outros nos mostra claramente onde ainda estamos presos. Se tivermos sinceridade genuína, não vamos tentar nos esconder na memória de um estado desperto; não vamos nos esconder na percepção do absoluto. Vamos sair do esconderijo. Não vamos nos agarrar a nada.

O que estou afirmando é que é totalmente natural parecer desperto em um momento e, então, aparentemente adormecido no instante seguinte. É natural sentir-se como se tivesse perdido parte da percepção que teve na semana passada, no último mês ou ano. A coisa mais importante é saber que isso é natural. Nada de errado aconteceu; simplesmente tudo foi para um nível mais profundo. Todo o seu sistema está sendo limpado de um modo mais profundo. Você está conseguindo se ver sob uma luz mais clara, e constatar sua tendência de entrar na separação de uma forma mais vívida. Você está vendo coisas de que não tinha consciência anteriormente. Elas o conduziam sem que você tivesse qualquer real entendimento do que estava acontecendo. Mas agora pode começar a ver o que antes não era consciente. Esse permitir que tudo se torne mais e mais consciente é uma grande parte do processo que ocorre após o despertar.

Fixar-se no absoluto a fim de evitar nossa humanidade

O que estou ensinando não deve ser confundido com um plano de autoaprimoramento. Não tem a ver com tornar-se um ser perfeito. Trata-se de enxergar o que causa divisão dentro de nós. Isso é bem diferente de pretender se tornar uma pessoa perfeita, pois o despertar e a iluminação não têm nada a ver com tornar-se perfeito, santo ou virtuoso. O que é verdadeiramente sagrado é perceber a partir da *totalidade*, que significa não estar dividido internamente. É o que nos divide internamente que precisa ser curado. O que é exigido após um vislumbre de despertar é honestidade radical, uma disposição de olhar para como nos desiluminamos, como nos levamos de volta à força gravitacional do estado de sonho, como nos permitimos ser divididos.

Como professor espiritual, trazer as pessoas para esse estado de honestidade, ou lhes sugerir que vão para lá, pode ser bem difícil. Isso porque há uma forte tendência na estrutura egoica de usar o despertar como uma razão para se esconder de todas as divisões internas. Quando sugiro algumas das coisas de que estou falando aqui, como reconhecer em que ponto nos desiluminamos, alguns de meus alunos contestam: "Mas não há ninguém para fazer isso. Não há ninguém aqui. O ego e a pessoa são uma ilusão; na verdade, não há ninguém para olhar internamente". Sob a percepção do despertar, não há nenhum problema, mesmo que as coisas sejam uma confusão total. Da perspectiva do despertar, não existe um problema; portanto, nada a fazer. "Se perceber que há algo a fazer, você está iludido."

Pode ser muito difícil para qualquer professor espiritual alcançar os alunos dessa forma, fazê-los parar de se agarrar à fixação de uma visão absoluta. Este é um dos perigos do despertar: a tendência a se agarrar a uma visão desequilibrada. Agarramo-nos à visão absoluta do despertar e negamos todo o resto. Na verdade, é o ego que se fixa no absoluto desse modo, usando-o como uma desculpa para ignorar comportamentos não iluminados, padrões de pensamento e estados emocionais divididos. Assim que nos agarramos a uma visão, tornamo-nos cegos a tudo o mais.

Por isso enfatizo que uma parte importante dessa fase da jornada é a disposição, o comprometimento sincero de ser muito honesto consigo mesmo. Sim, existe uma visão absoluta. É verdade que não há problema; é verdade que não há um *self* separado. É verdade que não existe alguém para fazer o que estou dizendo. Mas não estou falando ao ego aqui. Não estou dizendo ao ego que ele precisa ou não precisa fazer alguma coisa. Não estou falando a nenhum senso de *self* separado. Estou falando à *própria realidade*. O Espírito está falando ao Espírito aqui. A realidade está falando à realidade.

Pode parecer que estou me dirigindo a alguém e direcionando uma pessoa, mas não estou. O que estou dizendo aqui é inerente à percepção do despertar propriamente dito. Aquilo que está desperto sempre se move na direção do que não está desperto. Aquilo que está desperto não tem medo daquilo que não está desperto. Não tem medo porque não percebe algo como separado ou distinto de si mesmo. Aquilo que está desperto nem mesmo percebe a desilusão ou o estado de sonho como separado ou distinto de si. Vê que tudo é ele mesmo, igualmente ele mesmo.

Mas também, se formos honestos, podemos notar que dentro da verdade de nosso ser há um movimento inerente rumo à liberação de qualquer limitação, rumo à nossa libertação do estado de sonho. Há um desejo – por falta de uma palavra melhor – de liberar o ódio, a ignorância, a ganância ou qualquer sensação de confinamento. A verdade de nosso ser não estará satisfeita até que tenha se libertado de seu próprio engano, de suas próprias fixações, de suas próprias ilusões.

Para permitir que isso aconteça, como seres humanos temos de estar dispostos a ser honestos conosco. Ao mesmo tempo que não negamos o que vimos, também temos de ver como as coisas são, bem aqui e agora. Precisamos enxergar. Precisamos perguntar: "O que em mim ainda entra em divisão? O que em mim ainda pode entrar no ódio, na ignorância, na ganância? O que em mim pode fazer com que me sinta dividido, isolado, cheio de mágoa? Onde estão em mim esses pontos não totalmente despertos?"

Precisamos ver esses lugares, porque aquilo que está desperto em nós é compassivo. Sua natureza é o amor não dividido, incondicional. Não se afasta daquilo que não está desperto; move-se em direção a isso. Aquilo que dentro de nós está desperto não foge das contradições em nossos padrões de pensamento ou comportamento. Não se afasta das fixações, da dor; ao contrário, move-se em direção a elas.

É por isso que vários seres verdadeiramente iluminados – aqueles que proclamaram que tudo é bom, que tudo está bem, que percebem não haver necessidade de mudar alguma coisa ou alguém – são com frequência os que se voltam para quem sofre, para quem não percebe a verdade. Os seres verdadeiramente iluminados são quase sempre os que dedicam a própria vida ao bem-estar dos outros.

Bem, por que fariam isso? Se tudo é perfeito como é, se nada precisa ser mudado, se tudo é sagrado e divino exatamente como é, se tudo está bem, mesmo quando tudo não vai bem, então por que esses seres iluminados dedicam sua vida ao bem-estar dos outros? Qual seria o ponto? Bem, não haveria um. Se a visão absoluta fosse a única visão, eles não estariam fazendo isso.

Eu sugeriria que a razão pela qual tantas pessoas que chegaram tão longe em seu próprio despertar acabam se dedicando ao bem-estar alheio é porque elas não se fixaram na visão absoluta. Sem negar a visão absoluta de perfeição, elas estão abertas a perceber algo mais. Elas estão abertas a perceber a compaixão inerente à realidade propriamente dita.

A realidade é, no processo de despertar, tudo de si para si. E será muito difícil ver essa parte da situação se nos fixarmos na visão absoluta – se usarmos a visão absoluta para nos esconder de nossa humanidade. Nossa humanidade é também divina, e nossa humanidade busca ser permeada de ponta a ponta pela verdade e pela realidade.

Para que o processo do despertar completo preencha a si mesmo, é necessário ser totalmente sincero. Isso é bem diferente de uma abordagem terapêutica. Não estamos nos autoinvestigando para tentar consertar todas as coisas para sermos felizes. Isso seria operar a partir da perspectiva do estado de sonho, e poderia ser útil se ainda estivéssemos no estado de sonho. Mas o que estou dizendo aqui é uma motivação diferente. É reconhecer a natureza inerente da realidade para despertar totalmente de si para si. É isso que a realidade está fazendo. Dentro de você e dentro de cada um, a realidade se move para despertar totalmente de si para si mesma. Tudo dentro de nossa estrutura humana será revelado no processo.

Vamos ter que sair completamente do esconderijo em relação a tudo. Algumas vezes as pessoas me perguntam: "Bem, Adya, o que isso realmente significa? O que eu deveria fazer?" E eu digo: comece com algo muito simples. Pare de evitar as coisas. Se existe algo que está mal resolvido em você, volte-se para isso. Encare isso. Olhe para isso. Pare de se mover em outra direção. Pare de usar um momento de despertar como um meio de não lidar com algo que possa não estar de todo desperto dentro de si.

Comece a encará-lo. Comece a enxergá-lo. Na simples disposição de olhar para si, na sinceridade simples, a verdade começa a se revelar para si mesma. Não se trata aqui necessariamente de um esforço orientado por técnica. A técnica é a sinceridade; precisamos realmente querer a verdade. Precisamos querer a verdade até mais do que queremos experimentar a verdade. Essa sinceridade não é algo que podemos impor; é inerente à realidade em si.

Para algumas pessoas pode ser difícil descobrir esse tipo de sinceridade radical. Pode ser bem surpreendente conseguir ter um vislumbre incrível da verdadeira natureza das coisas e, então, retornar ao campo gravitacional da dualidade e encontrar corpo e mente ainda terrivelmente em conflito. Isso pode espantar não só a pessoa que passa internamente por essa experiência, mas os outros que estão ao redor. Em um minuto, tal pessoa pode ser extraordinariamente sábia e no minuto seguinte mostrar-se extremamente iludida. Isso não é confuso só para a pessoa; é confuso para todos que a rodeiam.

De fato, isso faz que algumas pessoas duvidem da natureza do próprio despertar. Alguém tem uma grande experiência de despertar, mas ainda é visto como um imbecil. Quem se importa com o despertar, então? Embora compreensível, essa conclusão só pode ser tirada por alguém que não compreende totalmente o processo de despertar. Fato é que podemos ter uma visão muito profunda da verdadeira natureza das coisas enquanto permanecemos no nível humano, cheios de conflito e iludidos em certas áreas de nossa vida. Precisamos de sinceridade para parar de nos esquivar disso, para realmente nos virar, olhar e encarar qualquer lugar onde percebamos algo aquém do estado de despertar, algo aquém da unidade. Ao percebermos a divisibilidade em nós, precisamos encará-la.

CAPÍTULO QUATRO

CHEGAMOS AO NIRVANA PELO CAMINHO DO SAMSARA

Seria maravilhoso se pudéssemos ter um momento de despertar e nunca mais ser capturados pela ilusão do pensamento; mas, como disse, normalmente não é assim que acontece. Podemos ter um profundo entendimento de nossa verdadeira natureza, perceber que a mente em si é um sonho e que a pessoa que pensávamos ser é um sonho, mas isso não necessariamente significa que jamais seremos enganados de novo por um pensamento. Existem certos pensamentos que continuam a emergir. Eu os chamo de pensamentos "velcro" – são aqueles pensamentos espontâneos que ocorrem em determinadas situações e que nos capturam. Esse tipo de pensamento causa uma reidentificação quase imediata com o padrão de pensamento. Poderia ser um pensamento crítico, um pensamento que fizesse alguém se sentir envergonhado ou pequeno, enraivecido ou julgador.

A realidade de que certos padrões de pensamento "pegajosos" ainda são recorrentes após o despertar chega como um desapontamento para várias pessoas. Elas podem ter acreditado que, se tivessem tido um despertar verdadeiro, jamais confiariam novamente em pensamentos que as fizessem sofrer. Mas isso não é necessariamente verdadeiro. A verdade *é* que quanto mais o despertar espiritual amadurece em nós, mais percebemos com clareza; há uma tendência cada vez menor de sermos capturados pelo pensamento.

Lembro-me de alguém perguntando a um dos meus sábios indianos favoritos, Nisargadatta Maharaj, se a personalidade egoica alguma vez emergira nele. Ele respondeu, muito casualmente: "Claro que sim, mas vejo de imediato que é uma ilusão e a descarto". Foi maravilhoso ouvir isso – que mesmo alguém com a envergadura espiritual de Nisargadatta diz sempre haver a possibilidade de uma velha tendência condicionada vir à tona. Ele simplesmente a reconheceu como ilusória no momento em que ela emergiu, e ao perceber isso, colocou-a de lado. E ela se dissolveu.

Alguém como Nisargadatta Maharaj – alguém muito maduro em seu despertar espiritual – pode operar assim. Mas a maioria das pessoas não começa dessa maneira, nem mesmo após um profundo despertar.

Na verdade, não é de todo incomum que alguns dos padrões de pensamento mais profundos e contraídos emerjam logo após o despertar. Isso às vezes chega às pessoas como uma surpresa. Parte do que acontece quando despertamos é que o topo é alijado de sua habilidade de suprimir, e é muito difícil para nós mantermos algo sob controle. No advir de um despertar, algumas formas de pensamento muito poderosas podem vir à tona – coisas que empurramos para as profundezas, que tentamos manter inconscientes. Mas agora tudo começa a emergir à luz do ser. Não é de todo incomum para nós descobrir que certos pensamentos têm o poder de nos prender como velcro a um estado temporário de identificação.

Liberdade por meio da investigação

Nesses períodos, o importante é evitar o que chamo de *passar por cima do espiritual* – ignorar o pensamento, ignorar o fato de que fomos pegos em um momento de reidentificação. Frequentemente usamos a linguagem não dual para esse fim. Dizemos a nós mesmos: "Ah, isso é apenas identificação. Não importa, já que, de todo modo, não existe ninguém para fazer algo. No final das contas, tudo está acontecendo espontaneamente".

Essa é uma forma sutil, ainda que efetiva, de nos escondermos de nossa própria experiência. Isso nos permite evitar ter de lidar com nossa tendência contínua de reidentificação. O importante é ter a disposição de olhar para esses momentos de identificação com clareza e honestidade.

Há várias maneiras de se engajar na autoinvestigação. Descobri que escrever era proveitoso para mim, tanto antes do despertar quanto por algum tempo depois. Se eu notasse que estava deslizando de volta à identificação, ia para um café com um bloco de papel e uma caneta, e começava a escrever a respeito. De fato, escrever sobre o que ocorria ajudava-me a entrar no padrão de pensamento que havia disparado a reidentificação. Eu conseguia definir exatamente qual pensamento ou crença tinha me capturado, e qual era a visão de mundo interna daquele pensamento.

Por exemplo, se fizermos algo que nos faça sentir tolos ou nos constranja, nossa mente pode ter um pensamento: "Eu não deveria ter feito aquilo", ou "Aquilo foi estupidez minha". Se você tomar um pensamento bem pequeno e começar realmente e abri-lo, verá logo que o pensamento está ligado a um sentimento; na verdade, um é a porta de entrada para o outro. O pensamento "Eu não deveria ter feito aquilo" vem com um sentimento – talvez constrangimento ou raiva. Nisso enxergamos a visão de mundo interna do pensamento e como ele nos atrai para a identificação.

É importante não usar esse tipo de investigação como mera ferramenta mental. Se fizermos isso, começaremos a compreender todas as coisas no nível mental. O problema é que o nível mental com frequência está desconectado do nível emocional. Podemos entender algo claramente em nossa mente, mas na esfera emocional é possível que ainda estejamos em conflito quanto a isso. Quando investigamos, é importante que usemos corpo e mente – tanto sentimento quanto pensamento. Devemos ver quais pensamentos geram quais sentimentos, e quais pensamentos são gerados *a partir* dos sentimentos. É um ciclo; um pensamento cria um sentimento, e esse sentimento cria o próximo pensamento que, por sua vez, cria o próximo sentimento.

Quando eu ia ao café com um bloco de papel e um lápis, era bem preciso quanto a que pensamento específico causara aquele momento de identificação, e começava a escrever a respeito. Analisava exatamente como aquele pensamento percebia o mundo. Para fazer isso, tinha que entrar em como me sentia. Tinha que focar minha atenção na crença que aquele pensamento específico – seja de condenação ou constrangimento ou o que for – gerara em termos de sentimento. Então entrava no sentimento e me permitiria senti-lo.

O próximo passo era me perguntar sobre o padrão de crença do sentimento. Como esse sentimento vê o mundo? Como esse sentimento vê o *self*? Qual é a visão de mundo? Comecei a perceber que cada pensamento e sentimento continham um mundo em e de si mesmos, uma completa estrutura de crença. Valendo-me de uma disposição para entrar no sentimento, descobri que o sentimento tinha uma voz. Eu podia ouvir aquela voz em minha cabeça, e descobri que existiam certas crenças e ideias.

Frequentemente descobrimos que as crenças e ideias contidas em nosso pensar e sentir são provenientes de nossa infância; podem se originar de memórias bem tenras de constrangimento ou humilhação, vergonha ou terror, raiva ou tristeza. Se passarmos a investigar de um modo meditativo, em que corpo e mente estão interligados, nossa investigação pode começar a descortinar essas profundas experiências internas. Não é possível apenas pensar sobre elas; não se pode somente dizer: "Isto é um pensamento. Sei que não é verdadeiro", e parar por aí. Às vezes eu passava horas em um café recusando-me a ir embora até chegar ao fundo de um único padrão de pensamento. Sabia que se esse pensamento me capturasse na identificação, então outro pensamento poderia me fisgar novamente. Quanto mais despertos estamos, mais a reidentificação dói. É como ser puxado forçosamente para fora do céu, de volta ao inferno. Ao sentir que está no inferno, você faz qualquer coisa para se libertar. Por isso eu aplicava esse processo de investigação com grande diligência. Permanecia nele até ver todo o caminho através de um momento de identificação. Sabia que tinha chegado lá quando ele era completamente liberado do meu sistema.

Tive de revisitar certos padrões de pensamentos, sentimentos e reações em inúmeras ocasiões diferentes. Conforme o processo de *insight* se aprofundava, revelava mais e mais. E à medida que isso acontecia, eu chegava às crenças, pensamentos e sentimentos essenciais. Era necessária uma disposição de permanecer na investigação para que a ilusão pudesse ser arrancada pela raiz.

É como remover as ervas daninhas do quintal. Quando faço isso, fico constrangido de dizer que costumo arrancá-las todas pelo alto. Minha esposa, ao contrário, é um pouco mais paciente. Quando ela arranca as ervas, puxa-as pela raiz. E você sabe que ela os arrancou porque as plantas demoram alguns meses para crescer de novo.

Felizmente, eu não fiz isso em minha própria vida interior. No processo de investigação que estou descrevendo, ficava muito focado. Estava disposto a ir bem fundo, percorrendo todo o caminho até as raízes de qualquer pensamento que estivesse causando uma reação dolorosa. Não quero com isso insinuar que todos precisam empreender um processo que envolva escrever. Cada um de nós tem de encontrar seu próprio caminho. Talvez escrever possa ajudá-lo; talvez investigar seus padrões de pensamento de uma maneira meditativa possa ajudá-lo. No final, o importante é ir ao âmago do processo de pensar e sentir. Só assim é possível encontrar as crenças ilusórias que estão criando dor no presente momento.

A maioria de nós passou por momentos difíceis na vida, e em tais ocasiões desenvolvemos estratégias espontâneas para lidar com eles. Quando somos jovens e ocorre um evento que nos causa mais dor do que somos capazes de encarar de cabeça erguida, criamos uma crença que nos permite sobreviver à situação.

Talvez os pais de uma criança sejam disfuncionais. É demais para a criança encarar o fato de que seus pais não são capazes de cuidar dela particularmente bem. Esse conhecimento é tão ameaçador para o bem-estar da criança que ela vai criar uma história menos ameaçadora para ajudá-la a sobreviver à situação. Em vez de constatar que seus pais são disfuncionais, ela poderia formar um padrão de crença de que há algo de errado com *ela*. Nesses momentos específicos, formar um padrão de crença ajuda-nos a lidar com períodos difíceis e a atravessá-los. Iniciamos esse padrão na infância, mas ele pode também continuar ao longo da vida.

Quando investigamos sinceramente esses padrões de crenças, descobrimos que não são mais estratégias úteis. Embora tenham nos ajudado a lidar com situações difíceis no passado, sua utilidade se foi. O pensamento propriamente dito não é uma estratégia útil. Contar a nós mesmos quaisquer histórias sobre quaisquer eventos sempre provocará dor. Afinal, toda formulação que fizermos em nossa mente sobre o passado ou o presente estará em conflito com a vida tal como ela é, com o que está de fato acontecendo.

Quando esses pensamentos e emoções velcro emergem, a chave é encarar e investigar todas as estruturas de crença subjacentes. Nesse momento, a investigação é sua prática espiritual. Evitar essa prática é evitar seu próprio despertar. O que quer que você evite na vida irá retornar, repetidamente, até que esteja disposto a encarar isso, a olhar com profundidade para a sua verdadeira natureza.

Novamente, a única forma de saber que enxergamos a verdadeira natureza de alguma coisa é se a história que estamos contando para nós mesmos for liberada. Não é apenas vê-la como ilusão; é senti-la como ilusão. Com frequência digo aos alunos para ficarem com ela até que se dissolva. A escolha está entre a investigação meditativa e o tornar-se vítima. Esta é a escolha que temos: ser vítimas de nossas próprias ideias e crenças ou senti-las até que elas desmoronem.

Por meio da investigação passamos a ver que todas as crenças têm o mesmo valor. O que penso que alguém deveria ter feito ou não, não tem valor. Na verdade, o que esse alguém fez tem o mesmo valor daquilo que acreditamos que ele *deveria* ter feito. Somente quando percebemos que nossos pensamentos, julgamentos e opiniões são tão verdadeiros quanto seus opostos, é que as polaridades do pensamento estão equilibradas. Se o pensamento oposto for tão verdadeiro quanto o pensamento em que acredito, então toda a estrutura de pensamento entra em colapso. Se a opinião alheia tem o mesmo direito de existir que a minha opinião, então é impossível dizer qual delas é real ou verdadeira. Ambas são reais ou não reais. Quando percebemos isso, há um equilíbrio interno dos opostos, e o pensamento não está mais polarizado. É somente quando o pensamento está equilibrado dessa forma que a estrutura dualística do pensamento perde sua validade e começa a colapsar.

Isso não é algo que vemos uma vez; é algo que vemos sempre que for necessário. Não existe algo como o despertar passado; o despertar passado é passado. A única coisa relevante é o presente. Estou eu desperto para a verdade bem agora, e não apenas em minha mente, mas na inteireza do meu ser? Realmente vejo que toda a estrutura de uma visão de mundo pessoal e de um *self* pessoal nada mais é do que um sonho na mente universal? Isso é tudo que importa.

O que vimos ontem pode ou não ter impacto sobre o hoje. Se ainda for vívido e vital, e essa for a percepção a partir da qual estamos vendo as coisas, tudo bem; somos livres. Se não for, então devemos sair da negação. Devemos estar dispostos a ver que estamos acreditando em algo; que, em algum lugar, estamos nos segurando (em algo).

Essa disposição de não passar por cima da ilusão é muito importante. Minha professora disse-me que chegamos ao *nirvana* pelo caminho do *samsara*. Chegamos à verdade, à liberdade, pelo caminho da servidão. Passamos a ver a verdadeira natureza das coisas ao olharmos através da ilusória natureza das coisas.

Não chegamos ao nirvana evitando o samsara. Não chegamos ao céu evitando o inferno ou tentando colocá-lo de lado. Não chegamos à clareza evitando a confusão. Não chegamos à liberdade evitando o que é menos do que a liberdade. A verdade é exatamente o oposto. Nossas ilusões – as crenças às quais nos agarramos – são os portais para a nossa liberdade. Simplesmente temos que passar por elas sem nos agarrar a elas ou afastá-las. Não devemos acreditar nelas, mas tampouco devemos fugir delas. Precisamos ver cada momento de aparente sujeição como um convite à liberdade. Então, isso se torna um ato de amor, um ato de compaixão, para parar de fugir.

Cada momento é o momento que precisa acontecer. Cada experiência que temos é o convite divino. Pode ser um convite lindamente entalhado ou pode ser um convite muito cruel, mas cada momento é o convite. Possivelmente eu não poderia enfatizar isto o bastante: a textura e o fluxo de nossa vida, a cada momento, é o que propriamente revela a liberdade. A vida em si nos mostra o que precisamos ver claramente para ser livres.

Portanto, é necessário que não fujamos da vida, que efetivamente encaremos o que está acontecendo de uma forma honesta e sustentada. Quando fazemos isso, passamos a ver que de fato chegamos ao nirvana pelo caminho do samsara. Isso não significa que ficamos presos ao samsara. Ao contrário, desprendemo-nos dele. Desatamos nossos pensamentos samsáricos e ilusórios e, ao fazermos isso, chegamos ao nirvana.

O despertar revela nossa já perfeita liberdade inerente. Torna-se também o fundamento a partir do qual desenvolvemos os recursos necessários – a clareza e a coragem – para investigar qualquer coisa que possa ter o poder de nos prender – como o velcro – à dor e à identificação. Ao longo do tempo, esse ver e esse liberar tornam-se naturais, espontâneos. No início, pode ser um tanto entediante. Pode demandar um bom tempo e intenção, talvez até certo esforço e disciplina. Com o passar do tempo, no entanto, torna-se cada vez mais natural e espontâneo. Em certo ponto, esse ver e esse liberar ficam tão internalizados que são quase automáticos. Surge um pensamento, e pode haver um instante de identificação. A investigação encontra o pensamento, e ele se abre à liberdade. Uma vez que essa liberação interior é profundamente internalizada, todo o processo pode acontecer numa fração de segundo. É dessa forma que o despertar se move. Às vezes nem notamos que está acontecendo. Mas está. A consciência está se libertando, repetidamente. E como eu disse, a chave é a sinceridade. É a disposição para encontrar, sincera e honestamente, o que estiver acontecendo em nosso corpo e em nossa mente. Esse é sempre o portal para a liberdade – uma liberdade que só ocorre agora, agora, agora e agora.

CAPÍTULO CINCO

Saindo completamente do esconderijo

Quero compartilhar uma história com vocês. Há alguns anos, eu estava na ilha de Maui, proferindo uma palestra sobre como a verdade se manifesta no contexto da vida após o despertar. Solicitei à plateia que considerasse comigo as seguintes questões: Como seria se não evitássemos nada que soubéssemos ser verdadeiro? Como seria se saíssemos do esconderijo em todas as áreas de nossa vida? Como seria se parássemos totalmente de nos evitar, porque isso literalmente é a vida desperta?

No dia seguinte houve um outro encontro com uma sessão reservada a perguntas e respostas. Um senhor, em seus 50 ou 60 anos, levantou a mão e disse algo realmente lindo: "Ontem à noite ouvi sua palestra sobre veracidade, sobre ser honesto, sobre ter a disposição de encarar a si mesmo como é, sem se esconder em alguma realização passada. Minha esposa e eu estamos à beira do divórcio há um bom tempo. Quando voltamos para casa depois de ouvir sua palestra, simplesmente nos sentamos e começamos a falar a verdade um para o outro. Começamos a falar o que era verdadeiro para cada um de nós".

Ele seguiu contando que não foi como em outras ocasiões, quando *costumavam* falar a verdade um ao outro – que era mais uma tentativa de *convencer* um ao outro da verdade. Não tinha a ver com um estar certo e o outro, errado. Era apenas dizer a verdade, muito simplesmente. Tratava-se de confessar exatamente o que eles tinham vivenciado por um longo tempo, admitindo o fato de que se sentiam separados e distantes um do outro; confessando os muitos segredos que os faziam se sentir separados e isolados. "Na verdade, nós simplesmente nos sentamos e falamos a verdade um para o outro", ele disse. "Eu dizia a verdade, e então permitia que minha esposa dissesse a verdade. Então eu dizia a verdade, e permitia que ela dissesse a verdade."

O homem afirmou que ele e sua esposa não estavam processando alguma coisa ou tentando chegar a conclusões; só estavam saindo do esconderijo. Literalmente, conversaram das 11 horas da noite às 3 horas da manhã (razão pela qual, ele também disse, estava confuso e cansado naquele momento!).

Ele concluiu dizendo que fora a noite mais extraordinária de toda a sua vida; simplesmente a noite de falar a verdade. Não de *afirmar* a verdade e não de *negar* a verdade; apenas expressá-la de uma forma muito sincera, saindo completamente do esconderijo.

Descobri ao longo de anos trabalhando com pessoas, mesmo com aquelas que tiveram despertares profundos, que a maioria tem medo de ser verdadeira, de realmente ser honesta – não apenas com os outros, mas também consigo mesmas. Claro, o âmago desse medo é que a maioria das pessoas sabe intuitivamente que se fossem verdadeiras e totalmente sinceras e honestas, não seriam mais capazes de controlar ninguém.

Não podemos controlar alguém com quem somos sinceros. Só podemos controlar as pessoas se contamos meias verdades, se aparamos o que é verdadeiro. Quando falamos a verdade total, nosso interior de repente está no exterior. Não há mais nada oculto. Para a maioria dos humanos, expor-se tanto assim causa um medo incrível. A maior parte das pessoas caminha por aí pensando "Meu Deus, se alguém pudesse olhar dentro de mim, se alguém pudesse ver o que está acontecendo aqui dentro, quais são os meus medos, quais são as minhas dúvidas, o que eu realmente percebo, ficaria horrorizado".

A maioria das pessoas está se protegendo. Seguram muitas coisas. Não vivem uma vida honesta, verdadeira, sincera, porque se o fizessem, não teriam nenhum controle. Claro, elas não têm controle de forma alguma, mas perderiam a ilusão do controle.

Então aquele homem me contou sobre a noite maravilhosa que tivera, e afirmou: "Para ser bem honesto, minha esposa e eu não sabemos se vamos continuar juntos". Muitos anos se passaram, e eles ainda estão casados, mas, naquele momento, eles não sabiam. Ainda assim tiveram a honestidade de dizer isso. Tiveram a honestidade de saber que tinham iniciado algo ao dizer a verdade um ao outro, ao ser honestos e verdadeiros, mas não estavam tentando controlar o resultado.

A maioria das pessoas não passa pela infância sem ter várias experiências de se sentirem machucadas por dizer a verdade. Ao longo do caminho, alguém lhes disse: "Você não pode dizer isso", ou "Você não deveria dizer isso", ou "Isso não foi apropriado". Como resultado, boa parte de nós tem um condicionamento profundo, subjacente, que nos diz que ser apenas quem somos não é bom. Fomos condicionados a acreditar que existem momentos em que é bom ser sincero e honesto, e que há ocasiões em que não convém ser verdadeiro e honesto. De fato, a maioria dos seres humanos tem uma impressão – não só em sua mente, mas em seu corpo e em suas emoções – de que se forem honestos, se forem verdadeiros, algo de ruim irá acontecer. Alguém não vai gostar disso. Eles temem não ser capazes de controlar seu ambiente se disserem a verdade.

Porém, dizer a verdade é um aspecto do despertar. Pode não parecer, porque é muito prático e muito humano. Não é transcendental. Não se trata de pura consciência. Trata-se de como a pura consciência se manifesta como um ser humano de uma forma não dividida. Precisamos ser capazes de manifestar o que compreendemos, e devemos também encarar e começar a notar as forças dentro de nós que nos impedem de manifestar a veracidade em cada situação.

Quase sempre, depois de dar uma palestra como aquela que proferi em Maui, alguém me procura e diz: "Sabe aquela palestra em que você falou sobre veracidade e honestidade e tudo o mais?" E eu respondo: "Sim, lembro-me dessa palestra". E esse alguém continua: "Bem, depois uma pessoa se aproximou de mim no estacionamento e decidiu que precisava me dizer todas as coisas desagradáveis que pensava a meu respeito... em nome da honestidade".

E eu simplesmente balanço a cabeça. Hesito até mesmo em dar palestras sobre esse assunto, porque é tão fácil ser mal interpretado.

A verdade é um padrão muito elevado. Não é uma brincadeira. Dizer o que é verdadeiro dentro de nós não é falar o que *pensamos*; não se trata de dar nossa opinião. Não tem a ver com despejar o lixo de nossa mente em outra pessoa. Tudo isso é ilusão, distorção, projeção. A verdade não está em descarregar nossas opiniões sobre alguém. Isso não tem a ver com a verdade. A verdade não é falar de nossas crenças a respeito das coisas. Isso não tem a ver com a verdade. Com efeito, essas são formas de nos *escondermos* da verdade.

A verdade é bem mais íntima do que isso. Quando falamos a verdade, há o sentido de confissão. Não me refiro à confissão de algo ruim ou errado, mas à sensação de sair completamente do esconderijo. A verdade é uma coisa simples. Dizer a verdade é falar a partir de um senso de total e absoluta desproteção.

Para expressar a verdade com consistência, não só temos de encontrar cada lugar em nós que tem medo de dizer a verdade como também precisamos enxergar nossa estrutura de crença pessoal que nos diz "não posso fazer isso". Essas estruturas de crença estão, por sua própria natureza, baseadas na não realidade. Saber disso não é suficiente; é preciso *vê-las* de fato para realmente perceber com exatidão em que você acredita. Quais são exatamente as estruturas de crença que o fazem entrar na dualidade, que o fazem entrar em conflito e se esconder? Só então é possível dizer a verdade da maneira que estou discutindo aqui.

A VERDADEIRA LIBERDADE É UMA DÁDIVA PARA TODOS E PARA TUDO

Parte do despertar, se for verdadeiro e autêntico, é a dádiva da liberdade para o mundo inteiro. Ao despertar, você recebe essa liberdade. A verdadeira liberdade não é simplesmente "sou livre". A verdadeira liberdade é "Tudo é livre". Isso significa que todas as pessoas têm a liberdade de ser quem são – estejam despertas ou não, iludidas ou não.

Liberdade é a realização de que todas as coisas e todos passam a ser exatamente quem são. A menos que cheguemos a esse ponto, a menos que vejamos que é assim que a realidade vê as coisas, estamos na verdade retendo a liberdade do mundo. Estamos vendo-a como uma posse, e estamos preocupados apenas conosco. Quão bem posso me sentir? Quão livre posso me sentir? A verdadeira liberdade é uma dádiva para todos e para tudo.

Após seu despertar, Buda disse: "Eu e todos os seres, em todos os lugares, atingimos a liberação simultaneamente". Pela mente convencional, é impossível compreender isso. "Se tudo despertou", alguém poderia dizer, "então por que eu não estou desperto? Se Buda estivesse correto quanto ao fato de o mundo todo ter despertado quando ele despertou, então por que *eu* não despertei?". Realmente não posso explicar a afirmação de Buda para a mente convencional. O que Buda quis dizer foi não ter sido o Buda quem despertou – não aquela pessoa –, mas foi a totalidade que despertou. A totalidade expressou o despertar através do ser de Buda.

O importante é permitir que todo o mundo desperte. E parte de permitir que todo o mundo desperte é reconhecer que todo o mundo é livre – cada um é livre para ser o que é. Até que todo o mundo seja livre para concordar ou discordar de você, até que tenha dado a todos a liberdade para gostar ou desgostar de você, de amá-lo ou odiá-lo, para ver as coisas como você as vê ou vê-las de forma diferente – até que tenha dado a todo o mundo sua liberdade –, você jamais terá sua liberdade.

Essa é uma parte importante do despertar, e é fácil deixá-la passar. Reitero, se estivermos totalmente despertos, é impossível perdê-la, mas a maioria das pessoas não desperta de uma hora para outra, simultaneamente. A ideia de liberdade é muito importante, no entanto. Todos nós somos como somos. E somente quando todos têm a permissão de ser quem são – quando você lhes dá essa liberdade, a liberdade que já possuem – você encontra dentro de si a capacidade para ser honesto, real e verdadeiro.

Não podemos ser verdadeiros enquanto estivermos esperando ou querendo que os outros concordem conosco. Isso vai fazer com que nos contraiamos – talvez eles não gostem do que eu disse; talvez não concordem; talvez não gostem de mim. Quando nos protegemos, também estamos retendo a liberdade de todos os outros. Quando percebemos que somos um e somente o Espírito que se manifesta como tudo e todos, então compreendemos que há total liberdade para todos.

Existe certo destemor nessa concepção. Às vezes as pessoas me procuram e dizem: "Bem, Adya, ainda existe um lugar dentro de mim" – e com frequência noto que é um lugar da infância bem tenra – "que tem medo de ser apenas o que sei ser verdadeiro". E, claro, eu digo: "É preciso olhar para isso e ver como você formou certas estruturas de crença baseadas no que aconteceu no passado. É preciso olhar para isso e ver se tais estruturas de crença são realmente verdadeiras". Mas também precisamos reconhecer que não temos como saber ou prever como o mundo nos acolherá. Parte de estar desperto é estar disposto a ser crucificado. Se pensamos que estar desperto significa que o mundo inteiro vai concordar conosco, então estamos totalmente iludidos. Jesus descobriu isso. Aqui estava um ser desperto – o filho de Deus, como dizem no cristianismo. E o que aconteceu com o filho de Deus? Foi crucificado por expressar o que sabemos ser verdadeiro.

Na consciência humana há um profundo tabu que diz não ser bom compreender a verdade do ser. Não estou falando, necessariamente, de fazer uma pregação a esse respeito; estou falando de ser apenas o que você percebe. Esse tabu diz: "Isso não está certo. Você será crucificado por isso; você será morto por isso". Claro, em nossa história humana as pessoas *foram* mortas por isso. Em várias sociedades há uma longa tradição de eliminar ou matar seres verdadeiramente iluminados, pois a iluminação não se adequa ao estado de sonho. De fato, muitas vezes o estado de sonho sente-se ofendido e ameaçado pela verdadeira iluminação, pois um ser realmente iluminado não pode ser controlado. A ameaça de morte não poderia controlar Jesus. Ele viveria a vida como estava destinado a vivê-la, não importa se, para ele, isso significasse a vida ou a morte.

Portanto, como seres humanos, não podemos ter essas ideias infantis de que a iluminação significa "todos me amam". Talvez todos *irão* amá-lo, mas é mais provável que alguns vão amá-lo e outros não. Quando tiver dado ao mundo inteiro sua liberdade, então terá percorrido um longo caminho rumo ao descobrimento de sua própria liberdade. Essas duas ações estão intrinsecamente unidas, uma à outra.

Sinceridade é a chave

O mais importante não é tentar convencer alguém da verdade que você vê. O que realmente importa é ser sincero consigo mesmo. Se puder ser verdadeiro consigo, então poderá ser verdadeiro com qualquer um. Não há uma utilidade real em ficar excessivamente focado em ser sincero com todos. Embora isso seja necessário, o lugar para começar é você mesmo: você pode ser totalmente franco consigo? Pode ir para aquele lugar além da acusação, além do julgamento, além do deveria ou não deveria? Pode ir para aquele lugar que é tão sincero de modo a não evitar nenhuma parte sua que ainda esteja em conflito? Não usará a percepção da verdade para esconder-se de algo que sente ser menos liberador?

É realmente uma questão de sinceridade. Como eu disse, este não é um programa de autoaprimoramento. Assim que descobrir o nível de sinceridade e honestidade que estou descrevendo, você perceberá que a sinceridade e a honestidade são manifestações da natureza absoluta do ser. Tornar-se assim tão sincero consigo pode não ser fácil, inicialmente. Você pode ver coisas a seu respeito que não gostaria de enxergar. Pode ver as partes de si que estão aparentemente em forte contraste com tudo o que apreendeu. No entanto, é nessa direção que o despertar se move; para e naquilo que não está desperto. A sinceridade é o que permite esse movimento, e ele realmente ocorre se você for verdadeiro consigo mesmo.

Sair completamente do esconderijo e estar disposto a ver cada ponto de fixação – cada maneira pela qual você entra na divisão – permite que essa parte da jornada continue. À medida que isso acontece, você sente seu coração se abrir, sua mente se abrir; você se sente abrindo-se em níveis que jamais sonhou ser possíveis. Esses níveis não apenas transcendem a condição humana, mas também se encontram bem dentro de sua humanidade, pois não há separação entre o seu ser humano e o seu ser divino.

Um grande mestre zen, Huang Po, disse que um indivíduo não é mais importante por ser Buda e não é menos importante por ser um ser humano. Ele quis dizer que Buda e um ser humano não são separados; não são diferentes. Embora despertemos do estado de sonho e da ilusão de simplesmente ser humanos, ainda haverá um retorno, até que vejamos nossa natureza humana e nossa natureza divina como uma: um ser, uma expressão, uma verdade.

Sinceridade é a chave. Você precisa estar disposto; você deve querer ver tudo. Quando quiser ver tudo, *irá* ver tudo.

Transcendência como fuga

Vários alunos que vêm ter comigo têm uma ideia inconsciente de que a iluminação significa que alguém deva ser capaz de sentir total felicidade, total bem-aventurança e total liberdade em qualquer situação. Essa é uma das crenças inconscientes que várias pessoas têm sobre o despertar, e é outra percepção errônea.

É verdade que após o despertar as situações e circunstâncias exteriores da vida não mais conseguem nos tirar do centro. Mas é também verdade que, quando despertamos, começamos a ficar mais conscientes de padrões de comportamento em nossa vida que não estão em harmonia com o que compreendemos. Se acreditar na percepção equivocada de que a iluminação só tem a ver com felicidade, bem-aventurança e liberdade, você será estimulado a transcender ou escapar de áreas de sua vida que parecem não estar totalmente funcionais. Cedo ou tarde, à medida que ficamos mais despertos, descobrimos que há cada vez mais pressão para encontrar e lidar com essas áreas da vida que temos evitado, onde não somos totalmente conscientes.

Descobri que várias pessoas ficam bem amedrontadas quando começam a compreender para onde todo esse movimento de despertar as está levando: para uma área onde serão chamadas a ser incomumente honestas e verdadeiras, e a sair completamente do esconderijo. Isso é contrário à ideia de o despertar ser simplesmente uma transcendência da vida, o encontro de um porto seguro em alguma experiência interna onde não temos que lidar com a vida como ela é. O despertar é, de fato, bem o oposto: é um estado de ser em que descobrimos a capacidade de lidar com nossa vida como ela é. Mas, como eu disse, várias pessoas têm medo dessa parte do processo, pois isso demanda que saiamos do esconderijo em cada nível. Inúmeras pessoas têm medo de deixar que a verdade penetre certas relações em que possam estar – relações familiares, de amizade, amorosas ou casamentos. Pode ser muito mais confortável esconder-se da verdade, esconder-se de certos padrões disfuncionais que possam estar presentes.

Uma história que adoro aponta para quão desafiador pode ser encararmos a nós mesmos em uma relação – e se não nos encararmos, como podemos realmente paralisar nosso desenvolvimento espiritual. Havia um aluno sênior de um professor zen bem conhecido que estava sendo preparado para tornar-se ele mesmo um professor. Essa pessoa era casada já havia algum tempo e tinha três filhos, e compartilhara com seu professor que ele e a esposa não estavam se dando bem. Ela estava zangada com ele porque, na visão dela, ele se distanciava a cada dia, não mais participava da família nem se conectava realmente com ela e com os filhos.

Acontece que ambos, marido e mulher, eram alunos desse professor. Ao ouvir sobre a situação deles, o professor disse: "Haverá um retiro no próximo mês. Quero que vocês dois participem desse retiro". E eles foram, esperando se envolver no retiro como sempre fizeram – sentar-se para meditar várias vezes ao dia, manter silêncio e passar a maior parte do tempo olhando para o seu interior.

Quando o retiro começou, o professor pediu para vê-los em particular e disse: "Quero vocês dois em um retiro diferente. Arrumei um quarto para ambos aqui no templo. Quero que fiquem na mesma cama por 24 horas, e não quero que saiam da cama a não ser para ir ao banheiro. Não me importo com o que farão enquanto estiverem lá, mas têm de permanecer na mesma cama por 24 horas. Depois, voltem a me procurar".

Como alunos, eles fizeram o que o mestre pediu. Foram para o quarto e ficaram na mesma cama durante 24 horas. Quando relataram ao professor como foram as coisas, ele coçou a cabeça. "Huuummmm", murmurou. "Que tal mais um dia? Fiquem na cama por mais um dia."

O casal saiu da entrevista com o professor e voltou para a cama por mais um dia. Aquele era um retiro de uma semana, e a cada dia o professor zen dizia-lhes a mesma coisa: para voltar à cama e permanecerem nela, juntos. Ao final do retiro, eles realmente tinham se conectado; haviam se reencontrado novamente, e o casamento estava salvo.

Com efeito, esse era um professor sábio. Ele compreendeu que seu estudante sênior, o marido que estava sendo preparado para ser um professor espiritual, certamente teve algumas percepções muito profundas, mas também estava exibindo um dos perigos do despertar: o de o indivíduo começar a se divorciar das atribulações da vida e dos relacionamentos. Nos relacionamentos é preciso estar disposto a não ficar escondido em um estado transcendental. É preciso sair dele e lidar com as pessoas e com as situações.

Esse aluno estava começando a se esconder no entendimento que alcançara. Estava começando a não lidar com coisas desagradáveis ou difíceis; estava usando sua percepção como uma razão para evitá-las. O professor identificou isso e foi sábio o bastante para colocá-lo em uma condição em que foi forçado a lidar com sua situação e com sua relação conjugal. Ele não poderia simplesmente se esconder em um estado transcendental.

No final, descobrimos que a iluminação – se for verdadeira e real – não nos permite evitar nada. De fato, a perspectiva iluminada dificulta bastante e, em última instância, impossibilita virar as costas para quaisquer partes de nossa vida.

Portanto, após o despertar, várias pessoas começam a lidar com certos padrões de que não estavam totalmente conscientes. Algumas podem até mesmo descobrir que certas mudanças em seus relacionamentos, bem como no padrão de vida, eram necessárias. Essa pode ser uma parte assustadora do processo, porque de repente não estamos mais nos escondendo de nós mesmos. E ficamos imaginando: "O meu relacionamento vai sobreviver a isso? Vai funcionar? A pessoa amada vai me deixar? Os meus amigos vão querer continuar sendo meus amigos? O meu ambiente de trabalho, a relação com meu chefe – ou o que for – ainda funcionam realmente ou vão mudar de forma inesperada?"

E, é claro, a maioria dos seres humanos tem medo de mudanças. Podemos desejá-las, mas elas contêm uma qualidade de desconhecimento; nunca se sabe como algo vai se transformar. Essa é uma parte importante de tornar-se totalmente desperto: temos que sair completamente do esconderijo. Temos de confrontar a vida como ela é. Essa relação é satisfatória? Está baseada na verdade? Não questiono se o relacionamento é perfeito ou ideal. Isso não é relevante. O que importa é se a relação está baseada ou não em honestidade, veracidade e inteireza.

Com o que, exatamente, estamos nos relacionando? De que lugar estamos nos relacionando? Estamos nos relacionando de um lugar onde vemos que o outro é nosso próprio *self*, efetivamente a mesma natureza de nosso próprio *self*? E estamos agindo dessa forma e nos movendo dessa maneira? Estamos dispostos a encarar os medos que surgem? Como eu disse, a maioria das pessoas tem medo das mudanças. Tememos que, se deixarmos de nos esconder – se sairmos da negação – poderemos perder uma pessoa amada, um amigo, um colega. A verdade é: poderemos. Nunca se sabe.

Digo às pessoas constantemente que a iluminação não é nenhuma garantia de que sua vida será do jeito que você planejou. A vida será bem melhor do que era, mas isso não significa que será do jeito que você desejar. No final, trata-se da verdade; trata-se de ser verdadeiro em todos os aspectos, em todos os níveis de seu ser.

A iluminação não é simplesmente uma fuga ou uma transcendência. É aquele estado de ser a partir do qual podemos encontrar nossa vida e nossos relacionamentos como são. A vida propriamente nada mais é do que relacionamentos. Na visão máxima das coisas, é a relação do Um com o Um, de Espírito com Espírito. E há o *aparecimento* dessa relação – a dança do relacionamento, a dança da vida. E nessa dança, é absolutamente essencial que não nos escondamos de nada.

Se você tentar se esconder – se estiver em um relacionamento disfuncional ou em um trabalho tremendamente insatisfatório e escolher não lidar com isso –, a consequência dessa negação é que você não será verdadeiramente liberado. Jamais conseguirá ser totalmente livre, porque qualquer área onde escolhemos permanecer inconscientes terá, no fim das contas, um impacto sobre nós e também sobre os demais.

O chamado para sair da negação não é algo imposto à vida. Pode parecer assim; pode soar como se eu estivesse dizendo "Aqui está o que você precisa fazer; aqui está o que supostamente deveria fazer e, se o fizer, será uma pessoa melhor e terá uma vida melhor". Pode soar dessa forma, mas em absoluto é a perspectiva a partir da qual estou falando. Estou simplesmente dizendo que a consciência desperta se move de maneiras específicas. Ela não nega nada. Não se esconde; não se esquiva de nenhum aspecto da vida. Aquilo que somos, aquilo que está totalmente desperto, é também, em última instância, plenamente engajado e destemido. Move-se da forma que é, a partir do amor incondicional e da veracidade. É só o medo na mente – o medo que constrói a ilusão do ego – que faz alguém recuar dessa fase da vida espiritual. Quero enfatizar isso. Se evitar os aspectos de sua vida que não estão em harmonia – aqueles que ainda possa estar negando –, esse tipo de fuga irá impedir seu despertar espiritual. Nos estágios iniciais, talvez não tenha um efeito muito grande. Mas mais adiante, à medida que entrarmos na abertura mais madura da realização, não haverá mais espaço para a negação. Isso é algo com que várias pessoas não contam. Muitos de nós pensamos que de algum modo a iluminação nos permitirá evitar as coisas que achamos desconfortáveis em nós mesmos.

O despertar pode ser a base a partir da qual encontramos cada pessoa e situação. Pode ser o fundamento a partir do qual nos relacionamos com todas as circunstâncias da vida. Mas isso demanda bastante coragem e destemor. Também exige algo que continuo a enfatizar: uma sinceridade muito simples. Esse tipo de sinceridade emerge daquilo que ama a verdade e vê que a verdade é o bem maior.

Ser menos que sincero, fugir do que quer que seja, diminui a experiência de quem somos. Como digo frequentemente aos meus alunos, ser menos que verdadeiro com as pessoas e situações em sua vida é reter a expressão de quem você é. No final, devemos ver que a verdade em si é o bem mais elevado, que a verdade em si é a maior expressão e manifestação do amor. Em última instância, amor e verdade são idênticos; são como os dois lados de uma moeda. Não se pode ter verdade sem amor, e não se pode ter amor sem verdade.

O despertar provoca uma transformação em nossa vida interior e exterior. Mais uma vez, por favor, não pense que essa transformação diz respeito a ter a vida perfeita, o trabalho perfeito, o par perfeito, o casamento perfeito ou a amizade perfeita. Isso não tem a ver com perfeição; tem a ver com totalidade. Não se trata de ter as coisas exatamente como as queremos, mas de ter as coisas exatamente como elas são. Quando permitimos que as coisas sejam, brota um senso de harmonia; a lacuna entre a nossa percepção e quem somos como seres humanos fica cada vez menor. Um *continuum* perfeito começa a emergir entre percepção e expressão, despertar e sua realização.

CAPÍTULO SEIS

ILUSÕES, ARMADILHAS E PONTOS DE FIXAÇÃO COMUNS

Existem algumas armadilhas comuns que vêm com o despertar – certos *culs-de-sac* (becos sem saída) ou turbilhões ou pontos de fixação em que podemos cair. É muito útil compreender essas armadilhas, pois elas podem ser bem insidiosas. Elas podem se esgueirar antes mesmo de você saber o que está acontecendo.

Não que essas ilusões sejam inerentes ao despertar. Simplesmente têm a ver com o fato de que – como eu já afirmei várias vezes – a maioria das pessoas está atravessando o território do despertar não permanente para o do despertar permanente. Parte desse processo de transição pode incluir o surgimento de certas ilusões às quais o ego se agarra ao despertar. Ele se agarra às percepções inerentes ao despertar, quase como se se agarrasse à energia rudimentar da iluminação, e começa a utilizá-la para seus próprios fins. O truque de algumas dessas ilusões é que elas podem ser bem sutis, e embora possam ser óbvias para as pessoas à sua volta, nem sempre é fácil detectá-las em você.

Mas, por favor, lembre-se de que nem todos passam por todas as experiências que vou descrever aqui. O despertar não é linear. Se o que estou delineando não é parte de sua experiência, por favor, não se preocupe, em absoluto.

Aprisionado a um senso de superioridade

Uma das ilusões mais comuns após o despertar é a ilusão de superioridade. Isso é muito comum nos círculos espirituais. As pessoas podem ficar presas a um senso de superioridade, estejam despertas ou não; é uma armadilha do estado de sonho assim como é uma armadilha quando se faz a transição do despertar não permanente ao permanente. Mas após o despertar, a mente egoica pode entrar em cena e começar a sentir uma sensação pessoal de melhoramento, como se o despertar tornasse uma pessoa melhor que a outra. Isso é muito comum; é quase uma parte natural do processo.

Inerente a essa ilusão está a sensação de que conhecemos algo. Porque despertamos, estamos certos. Porque despertamos, estamos *sempre* certos. Nesse ponto, o ego – que é o construtor do estado de sonho – pode se apoderar dessa percepção e começar a criar o que chamo de um *ego iluminado*. Não há nada mais detestável do que um ego iluminado. É um ego que *pensa* estar iluminado, um ego que *pensa* estar desperto, um ego que está usando parte da energia e da realização do despertar para construir um senso de *self* novo e superior.

Vi pessoas que após um autêntico momento de despertar usaram sua percepção para descartar todas as coisas que não queriam ver. Algumas me diziam: "Mas, Adya, não existe o ego; não existe o 'eu'. Já que não há um 'eu', não há nada a fazer". E eu respondia: "Sim, mas você já percebeu que tem uma capacidade incrível de agir como um imbecil, às vezes?". E elas argumentavam: "Bem, pode ser verdade, mas não há ninguém aqui para fazer algo sobre isso. Tudo se desenrola espontaneamente. Pensar que eu deveria lidar com isso de alguma forma é só mais uma ilusão do estado de sonho".

É difícil alcançar alguém que esteja preso em um lugar como esse, um lugar de se agarrar a certos *insights* e esconder-se atrás deles. Quando estamos em um verdadeiro estado de despertar, jamais usamos o que compreendemos como uma forma de nos esconder de alguma coisa dentro de nós. Acolhemos tudo na luz do ser. Assim que percebemos que estamos usando nossa própria percepção como um meio de descartar comportamentos inconscientes, devemos reconhecer de imediato que estamos operando a partir de um estado de ilusão.

Como afirmei anteriormente, a visão absoluta das coisas é verdadeira. Não há um fazedor separado; o ego é uma ilusão. Essencialmente, não há uma entidade separada que *faça* alguma coisa, e tudo realmente acontece de forma espontânea. No entanto, há uma verdade mais profunda. O problema é que é bem difícil expressar essa verdade mais profunda em palavras.

Existe uma escritura sagrada na tradição budista chamada *Sutra do coração*, que diz não haver nascimento, envelhecimento e morte – e nenhum fim para o nascimento, para o envelhecimento ou para a morte. Esta é uma parte muito importante do *sutra*. Não há nascimento, envelhecimento e morte. Isso é verdadeiro do ponto de vista absoluto. Mas, a menos que também compreendamos, simultaneamente, que não há *fim* para o nascimento, para o envelhecimento e para a morte, nossa percepção não estará completa. Se nossa percepção não estiver completa, estará sujeita a ser usada pelo ego como uma construção para nos escondermos atrás dela, e como justificativa para vários comportamentos não iluminados.

Isso é muito comum na espiritualidade. É muito comum o ego dizer a si mesmo: "Ah, eu despertei e vi que tudo é espontâneo. Portanto, não sou responsável por nada que acontece. Se você não gostar disso, sinto muito; você simplesmente não viu a natureza máxima da realidade". Esse é um tipo de ilusão egoica baseada na superioridade. Como disse, essa ilusão é muito comum, e é por isso que enfatizo que, na jornada do despertar não permanente ao permanente, nosso maior aliado é um intenso e profundo senso de sinceridade. Com sinceridade somos capazes de reconhecer que tal superioridade é uma forma de arrogância, uma forma de a mente usar *insights* para se esconder.

Como professor espiritual, é difícil fazer que as pessoas compreendam isso. Esse tipo particular de ilusão é proveniente de uma estrutura egoica bem defendida. É muito difícil penetrá-la.

Algumas vezes, os egos mais difíceis de ser alcançados são aqueles que tiveram um vislumbre da realidade. Você poderia pensar que se alguém tivesse um vislumbre real da realidade – ainda que momentâneo – tal ego jamais se reconstruiria de forma tão defensiva. Mas não é o caso; algumas pessoas podem ficar altamente iludidas, mesmo depois de um despertar.

O que tenho visto em meus anos de ensino é que com frequência os indivíduos que têm esse senso dissimulado de superioridade querem se assegurar de que outras pessoas os ouçam e saibam que eles sabem. Querem se assegurar de que as pessoas concordem com eles ou, mais importante, que as pessoas saibam que estão iluminados. Já tive ouvintes que literalmente pularam no palco quando eu estava ensinando, pegaram o microfone e começaram a dizer à plateia a sua versão do que era a verdade. Em tais momentos, tenho a sensação de que provavelmente não posso alcançar tais pessoas. No entanto, com o tempo, a vida vai alcançá-las. A beleza é que, no fim das contas, atuar de um lugar que não é de todo verdadeiro não irá funcionar para nós na vida. Em algum ponto, vai ruir. Cairemos de joelhos, de uma maneira ou de outra. No final, vamos nos encontrar. Não existe isso de nos iludir permanentemente; a vida não funciona assim.

Cada um de nós tem de olhar e perceber se reconhece em si qualquer senso de presunção, qualquer senso de superioridade, qualquer senso de desdém para com alguém que não esteja desperto. Se você identificar um senso de superioridade, saiba que essa não é a visão do despertar verdadeiro. Essa é a visão de um ego que está se agarrando ao despertar e fingindo estar desperto.

É também importante saber que, após o despertar, certa dose dessa superioridade é normal. No zen temos uma frase para isso: "bêbado do vazio". Significa estar um pouco bêbado da energia e da beleza inerentes ao despertar propriamente dito. Agora, se após o despertar a estrutura egoica for totalmente dissolvida, não haverá nenhum ego para se embriagar. Mas isso não acontece na maioria dos casos. Na maioria dos casos, o que permanece da estrutura egoica fica profundamente embriagado com as percepções do despertar. Mais uma vez, não estou dizendo que isso é ruim; estou apenas dizendo que isso acontece, aberta ou sutilmente.

Se você notar algo parecido acontecendo, simplesmente observe. Isso não vai sumir porque o deixou horrorizado e tampouco irá embora por você acreditar e agir de acordo com essa condição. Veja-a como é – parte do processo de despertar para várias pessoas. Se permanecer em um lugar que é sincero, saberá que qualquer senso de superioridade não é verdadeiro. Isso vai permitir que você olhe e perceba o que está dizendo a si mesmo, o que sua mente está dizendo que o faz se sentir superior. Lembre-se, é apenas a mente que nos ilude. Todas as ilusões começam na mente. Todas as ilusões estão baseadas nas várias maneiras pelas quais falamos conosco e acreditamos no que falamos.

A chave para desatar qualquer ilusão, para ver através de tudo que nos separa, é descobrir sua origem. O que você está dizendo a si mesmo que está criando um senso de divisão, seja um senso de superioridade ou qualquer outra coisa?

Quando Jesus encontrou um grupo de pessoas atirando pedras em uma mulher, ele disse: "Aquele que estiver livre do pecado que atire a primeira pedra". Jesus está falando desde um estado de não separação aqui; ele não está se vendo como melhor do que a mulher apedrejada, não importa a falta que ela tenha cometido. O que ele está dizendo é que ninguém está livre do pecado. Pecado significa errar o alvo; ninguém está isento de mal-entendidos. Todos nós fizemos coisas que desejávamos não ter feito. Todos nós já agimos de maneiras nada iluminadas. Nenhum de nós é diferente do outro. Por essa razão, quando agimos do ponto de vista da não separação, qualquer senso de superioridade se dissolve.

Se você notar um senso de superioridade em si, o mais importante é não acreditar nele. Não tente afastá-lo, mas não acredite nele. Se permanecer em um estado em que não acredita nele, mas também não o afasta de seu sistema, então uma dissolução acontece. Se tentar afastá-lo, lembre-se de que aquilo a que resistimos, persiste. Ao tentar afastar algo, seja o que for, você está, de fato, o energizando.

Há uma história da minha própria vida que penso ilustrar muito bem como um senso de superioridade oculto pode emergir, e como lidar com ele. Posso me lembrar de quando tinha 25 anos e tive minha primeira experiência de despertar espiritual. Foi muito potente e libertadora. Lá estava eu, um garoto de 25 anos que, de repente, não tinha medo em seu sistema. Sabia que era imortal e que não poderia ser ferido, e todos os instintos de sobrevivência inerentes ao ser humano haviam desaparecido.

Alguns meses após essa percepção, fui ter com minha professora. Sempre ia vê-la nas manhãs de domingo. Sentávamo-nos e meditávamos, ela dava uma palestra, meditávamos mais um pouco e, então, íamos todos tomar o café da manhã juntos. Daquela vez, quando me sentei na sala juntamente com os outros alunos, esse senso de superioridade emergiu em mim. Ele realmente me surpreendeu. Com o tempo, comecei a chamá-lo de "Homem Superior".

Estava lá sentado, meditando, e, de repente, o Homem Superior veio à tona. Olhei ao redor, e havia aquela sensação de que as outras pessoas na sala não sabiam de nada. Elas não conheciam nada sobre a verdade. Não sabiam nada a respeito da realidade. Eu, por outro lado, tinha tido aquela grande percepção. Imediatamente fiquei horrorizado porque, felizmente para mim, eu sabia que não era verdade. A própria realização me mostrou que aquela superioridade é um sonho total, uma fantasia egoica. Mas isso não impediu que o Homem Superior aparecesse.

Minha mente estava criando aquele enorme senso de superioridade a partir de fatos do despertar. Ao mesmo tempo, havia um profundo conhecimento de que o sentimento não estava baseado na verdade. Tentei de tudo para me livrar do Homem Superior. Inicialmente, só tentava me lembrar de que aquilo não era verdadeiro, retornando ao lugar interior onde a superioridade não tinha nenhuma realidade. Mesmo assim, toda vez que eu ia meditar, semana após semana, aquele senso de superioridade continuava a emergir.

Tentei de tudo. Primeiro, tentei odiá-lo até a morte. Depois, tentei amá-lo até a morte – aceitando-o e permitindo-o ser, na esperança de que desaparecesse. Olhava para o lugar de onde ele emergia, por que estava surgindo. Com o passar das semanas, tentei todas as estratégias em que podia pensar para eliminá-lo, e todas falharam. Todo domingo eu comparecia, sentava-me e o Homem Superior se manifestava.

Finalmente, uma manhã, compreendi que não havia nada que eu pudesse fazer sobre o Homem Superior, na verdade. Era como ser totalmente derrotado. Compreendi que tentara de tudo para me livrar dele, e que nada estava funcionando. Não havia nada que eu pudesse fazer.

Não foi um repúdio; não teve a ver com ignorá-lo. Foi uma percepção autêntica, sincera; um momento de total derrota. Vi que não importa quanto compreenda, ainda posso ser derrotado. Ainda posso ter algo emergindo de dentro de mim que não é verdadeiro, do qual não posso realmente me livrar, mesmo após o despertar ter ocorrido.

Fiquei sentado lá, permitindo-me ser derrotado. Meditei por mais um tempo e então me levantei com todos os outros e começamos a tomar nosso café. Notei que quando todos nos sentamos juntos para o café da manhã, o senso de superioridade havia sumido. Não foi pelo fato de eu ter subitamente compreendido algo – não havia uma razão. Tinha compreendido que não havia nada que eu pudesse fazer a respeito. Encarando o fato de que eu não poderia me livrar dessa arrogância, não importa quanto tentasse, foi uma das primeiras experiências que tive – e haveria muitas outras – sobre a futilidade da vontade pessoal.

Portanto, se você sentir um senso de superioridade após o despertar, não tente afastá-lo. Não tente afastar nenhuma negatividade. Mas tampouco o alimente. Apenas o veja como é. Isso é o mais importante.

A ARMADILHA DA FALTA DE SIGNIFICADO

Existem outras armadilhas que podem emergir nesse processo de transição de um vislumbre inicial do despertar ao despertar permanente. Repito, tais armadilhas ou *culs-de-sac* não são inerentes ao despertar propriamente dito; são ilusões que surgem da relação da mente com a visão desperta. A visão desperta está muito além do que a mente pode captar, e a natureza intrínseca da mente é conter tudo o que ela vê. A mente é a fonte dessas ilusões após o despertar.

Uma dessas armadilhas mais comuns é um senso de falta de significado. Desde nossa nova visão de realidade, estamos livres do desejo egoico de encontrar significado. Vemos que o desejo do ego de encontrar sentido na vida é, na verdade, um substituto para a percepção de *ser* a própria vida. A busca por significado na vida é um substituto para o conhecimento de que *somos* a vida. Somente alguém que está desconectado da vida em si irá buscar significado. Somente alguém desconectado da vida irá buscar um propósito.

Não estou afirmando que as pessoas não deveriam procurar significado ou propósito; essa é uma estratégia relativamente sábia que ajuda as pessoas a lidarem com a vida. Mas lembre-se de que o anseio por encontrar o sentido da vida, por descobrir o propósito da existência, deriva, em última instância, do estado de sonho – um estado em que não temos nenhum conhecimento verdadeiro do que somos e no qual estamos inconscientes de nossa verdadeira natureza.

Quando há uma percepção verdadeira, quando despertamos do estado de sonho, compreendemos que procurar significado não é mais apropriado. Quando temos uma conexão direta com a vida, subitamente a busca por significado e propósito parece desprovida de valor e insignificante. Deixa de ser uma motivação em nossa vida. O impulso de buscar significado e propósito se dissolve, pois partimos de uma perspectiva diferente – uma perspectiva em que tais coisas realmente não existem, certamente não da velha maneira. Elas não mais existem de um ponto de vista egoico.

Quando despertamos, vemos o estado de sonho tal como é. Como um estado de sonho poderia ter significado? Como um estado de sonho poderia ter propósito? É apenas um *sonho*, certo? É verdade. Mas, como disse repetidas vezes, após o despertar ainda há um ser humano com uma mente humana que está tentando encontrar sentido nas coisas. A mente está inclusive tentando encontrar sentido no próprio despertar. Já que para a maioria das pessoas não ocorre um desaparecimento total do ego, a mente continua tentando compreender os *insights* do despertar. A mente vai começar a dizer: "Ah, meu Deus, já não tenho mais nenhum propósito ou significado". Você viu muito da realidade para continuar acreditando no propósito ou no significado egoico. No entanto, ainda restou estrutura egoica suficiente para ser investida em significado e propósito. A ilusão do ego está notando que não existe significado; está olhando para a verdade, como era, o que pode ser muito desorientador.

É nesse ponto que algumas pessoas caem na armadilha dessa coisa chamada falta de significado. Parece que a vida não tem mais sentido. No sentido mais negativo, a vida não tem propósito. É como se o ego fosse um grande balão, e agora o ar está sendo liberado. Graças à sua percepção da realidade, o balão murchou, e tudo o que resta é esse pedaço de borracha flácido. Mas o balão ainda está aí, e pergunta: "O que houve? O que houve com o ar? O que aconteceu com o significado em minha vida? O que aconteceu com meu propósito?".

Com os remanescentes da estrutura egoica ainda atuando, às vezes é fácil ser pego em um senso negativo de falta de significado e de propósito. De um ponto de vista desperto, dizer que não existe significado e propósito é tremendamente positivo. E é positivo porque alguém encontrou algo melhor do que significado ou propósito. Alguém de fato despertou como a própria essência da existência em si. O que poderia ter mais sentido do que isso? O que poderia ter mais propósito do que isso?

Do ponto de vista do ego, isso pode ser devastador. Se você não for cuidadoso, talvez seja pego em um redemoinho ou correnteza egoicos que podem arremessá-lo para um estado depressivo. Encontrei pessoas ao longo dos anos que tiveram uma visão muito real, mas o ego tornou-se reativo ao que viram. O ego literalmente reage à realidade que foi percebida, e a reação pode ser muito negativa. O ego pode ficar deprimido; significado e propósito dissolveram-se de sua estrutura, e há ainda ego suficiente aí para se sentir mal a esse respeito.

Algumas pessoas podem passar um bom tempo presas nesse lugar depressivo. Um dos antídotos contra esse aprisionamento na falta de significado é perceber que estamos apenas olhando para a verdade de um ponto de vista egoico. Não há nada no despertar para o ego. O despertar desperta *do* ego; então, do ponto de vista do ego, o despertar não tem nenhum benefício. O despertar beneficia o *ser*; beneficia aquilo que você realmente é. Mas não traz benefícios ao ego. Na verdade, não há nada mais devastador do que olhar para a verdade da perspectiva do ego. Alguém poderia pensar que seria maravilhoso se o ego pudesse ver a verdade, se o ego fosse tomado por alegria e felicidade. Mas, normalmente, não é o caso.

Preso ao vazio

Outra armadilha que você pode descobrir é similar à de estar preso à falta de significado: é estar preso ao vazio. Essa é uma forma de prender-se à transcendência, à posição de testemunha.

Inicialmente, pode ser maravilhoso encontrar-se em um estado testemunhador, um estado em que compreendemos não sermos alguém que está testemunhando, mas o testemunhar propriamente dito. Embora seja verdadeiro que somos a testemunha de todas as coisas, há também um aspecto ilusório em que é fácil cair.

O ego pode montar acampamento em qualquer lugar; é um camaleão. Se a superioridade não funcionar, talvez a falta de significado dê resultado; se a falta de significado falhar, então estabelecer-se como a testemunha desconectada talvez funcione. O ego está constantemente em fluxo. Assim que você entra nele – assim que o descobriu em um aspecto de seu ser –, ele desaparece, apenas para ressurgir em algum outro lugar. Ele é muito astuto, muito sutil. Na verdade, da forma que a vejo, a ilusão do ego é uma das forças mais impressionantes em toda a natureza.

O "eu", ou o ego, pode se apresentar como a testemunha. A princípio, isso pode parecer tremendamente libertador, em especial para pessoas que experienciaram muita dor e sofrimento na vida. De repente, elas são a testemunha, e existe um alívio extraordinário em não mais estar identificado como o personagem principal em sua vida. Mas a posição de testemunha pode se tornar uma fixação, e quando isso acontece uma sensação de indiferença pode começar a se insinuar. Nessa situação, a testemunha vê a si própria como não conectada com aquilo que está acontecendo. Isso significa, é claro, que não houve uma percepção verdadeira e completa. É mais como uma meia percepção; é como estar meio desperto.

Existe um antigo provérbio ao qual o grande sábio Ramana Maharshi costumava recorrer, que era o seguinte: "O mundo é ilusão. Somente Brahman é real. O mundo é Brahman". Esse provérbio fala de certos *insights* que surgem com o despertar. O primeiro deles, "o mundo é ilusão", não é uma afirmação filosófica. Ver o mundo como ilusão é parte da experiência do despertar. É algo conhecido; descobrimos que não existe um mundo objetivo lá fora, separado de nós. Essa primeira afirmação, portanto, está apontando para esse *insight* que vem com o despertar.

A próxima afirmação, "Somente Brahman é real", aponta para o reconhecimento da testemunha eterna. A testemunha do mundo é onde está toda a realidade. Dessa perspectiva do despertar, a testemunha é experienciada como sendo muito mais real do que aquilo que é testemunhado. O que é testemunhado é visto como um sonho, um filme ou um romance desenrolando-se à nossa frente. Há muita liberdade nisso, mas também existe uma grande tendência de prender-se à ideia de que "eu sou a testemunha daquilo que é".

Até aqui, vimos que essas duas afirmações são verdadeiras: "O mundo é ilusão" e "Somente Brahman é real". (A última poderia ser entendida como "Somente a testemunha é real".) Porém, sem a terceira afirmação, "O mundo é Brahman", não teríamos a verdadeira não dualidade. Na afirmação "O mundo é Brahman", temos a percepção da verdadeira unidade. "O mundo é Brahman" faz colapsar a posição da testemunha externa. A posição da testemunha colapsa na totalidade e, de repente, não estamos mais testemunhando de fora. Ao contrário, o testemunhar acontece a partir de todos os lugares simultaneamente – dentro, fora, ao redor, acima, abaixo. Tudo, em todos os lugares, está sendo testemunhado de dentro e de fora ao mesmo tempo, pois o que está sendo testemunhado *é* o que está testemunhando. Quem vê e o que é visto são o mesmo. A menos que isso seja compreendido, podemos ficar presos no lugar da testemunha. Podemos ficar presos em um vácuo transcendental, no vazio.

Lembro-me de quando uma mulher compartilhou sua visão de despertar comigo. Era alguém que eu pediria para começar a ensinar só alguns anos mais tarde. Quando ela me procurou pela primeira vez, falou sobre o que estava vendo e sobre sua percepção. Estava buscando alguém para conversar, não necessariamente um professor. Realmente ela não precisava receber ensinamentos naquele momento; precisava apenas de alguém que pudesse ouvir o que estava dizendo e ver através de seus olhos.

Estávamos sentados em uma sala, conversando, e ela descrevia o que lhe estava acontecendo. Lágrimas rolavam por sua face, pela bem-aventurança e alegria da própria percepção, pela descoberta de nossa verdadeira natureza. A primeira coisa que lhe disse foi: "Tudo isso é maravilhoso, tudo isso é lindo, mas não fique presa na imortalidade".

O que quis dizer com isso foi *não fique presa na transcendência*. A transcendência é real e muito bela, mas não se prenda nela. Na verdade, não existe lugar ao qual se prender; não existe lugar algum em que deveríamos nos fixar. Não há um ponto de vista específico ao qual precisamos nos agarrar e segurar.

Ser verdadeiramente desperto, ser iluminado, é ser livre de todas as amarras – ser livre de todos os pontos de vista. Esse estado é literalmente indescritível. Não podemos conceituar esse estado de ser. Até esse ponto, de certa forma, sempre podemos conceituar. Como professor, posso explicar certos aspectos da percepção – facetas da joia da iluminação, como gosto de chamá-los. Posso sempre falar sobre certos cortes, determinados ângulos. Mas como falar sobre a joia inteira?

A resposta é "não se pode". Como um grande sábio taoista afirmou, "O Tao que pode ser expresso não é o verdadeiro Tao". Isso é como dizer que a verdade que pode ser dita não é a verdade genuína. É por isso que sempre digo aos meus alunos que meu objetivo em ensinar é falhar – falhar tão bem quanto puder. Tentar falar sobre o indizível é saber, desde o início, que você vai falhar. Por isso, minha intenção é falhar tão bem quanto puder ao falar sobre o indizível. Mesmo que eu não possa falar sobre a joia inteira, posso falar a partir de um lugar de verdade. Assim, talvez a pessoa que esteja escutando consiga *ouvir* desse mesmo lugar. Não é um lugar que me pertence; é um lugar que é verdadeiro para aquilo que somos. É aquele lugar de saber.

A verdade não é propriedade de ninguém. Ninguém a possui nem tem mais dela do que qualquer outra pessoa. Alguns podem ter compreendido isso ou se lembrado disso mais que outros, mas é importante entender que a verdade não pertence a ninguém. Ninguém tem a posse do que somos. É um presente igualitário. A jornada do despertar é simplesmente relembrar quem e o que somos, relembrar o que sempre soubemos.

Esses pontos ao longo do caminho nos quais podemos nos fixar – senso de superioridade, falta de significado ou prender-se à testemunha – são apenas alguns dos meios pelos quais o ego pode se iludir na atmosfera rarefeita da percepção. Não parece fazer sentido dizer isso, mas, na experiência, acontece o tempo todo. É também parte da jornada; e por isso eu digo que é natural.

Pouco a pouco, se formos sinceros, começaremos a perceber toda vez que nos fixamos. Em algum lugar, de alguma forma, em algum momento, algo em nós compreenderá que nosso despertar não está completo.

Posso me lembrar de quando, há alguns anos, estava nessa posição de testemunhar. A princípio era maravilhoso, surpreendente, profundo e transformador. Mas, com o tempo, comecei a ter aquela intuição, a ouvir aquela pequena voz que dizia: "Isso não é tudo. Isso não é unicidade; isso não é unidade". A testemunha era percebida como sendo totalmente livre do "eu" que eu pensava ser, totalmente livre do ser humano que eu me imaginava. Mas a ilusão de que a testemunha era diferente daquilo que estava sendo testemunhado permanecia. Para mim, assim como para várias pessoas, a fase seguinte da jornada do despertar foi o colapso da posição de testemunha, que começa a se dar quando vemos que, se testemunhar é diferente da testemunha, então há uma divisão inerente. Permitir-se enxergar essa divisão é o início do colapso da testemunha externa. Com esse colapso, você pode começar a ver os elementos do ego que estão usando a posição de testemunhar como uma forma de esconder-se, de não ser tocada pela vida, para não sentir certos sentimentos, não encontrar nossa vida direta e intimamente de uma maneira realista, humana.

Como disse repetidas vezes, ver uma inverdade é o maior elemento em sua dissolução. Não se engane. Enxergar a fixação dentro de si porque alguém a explicou não é suficiente. Não basta ter alguém que a esquematize para você. Deve ser descoberta em e por você.

É preciso sentar-se com essas coisas e investigá-las. Não pense que são verdadeiras só porque eu disse que são. Todos nós precisamos descobrir isso em nós mesmos, para nós, como se fosse a primeira vez. Estes ensinamentos – minha comunicação deste material – são realmente apenas um convite para um olhar mais profundo, mais íntimo, para si, um convite para ser mais real e honesto. Porque a verdade, em um sentido, é que somos todos sós. Temos que investigar por nossa própria conta; ninguém pode fazer isso por nós. Ninguém vai tocar sua cabeça e despertá-lo de repente e para todo o sempre, amém. Simplesmente não acontece dessa forma, e quanto antes você sair desta ilusão, melhor.

O despertar pleno acontece quando assumimos a responsabilidade por nós. O que estou dizendo é que devemos assumir a responsabilidade de realmente olhar para nós, em nós – descobrindo a capacidade de ver mais profundamente do que imaginávamos. Tendemos a não descobrir essa capacidade enquanto contamos com alguém, com uma autoridade externa.

Estou aqui para oferecer dicas e pistas e para questionar as respostas que você já assumiu como verdadeiras. O verdadeiro papel do professor é questionar as respostas de seus alunos, não ficar sentado, dando respostas prontas. A maioria das pessoas que vem a mim pensa que já sabe alguma coisa. Meu trabalho é questionar o que elas pensam saber, como uma maneira de ajudar a devolvê-las a si mesmas.

Ao olharmos profundamente para nós, passamos a descobrir a nossa porta de saída desses *culs-de-sac*. À medida que fazemos isso, algo começa a se desdobrar. Toda uma nova percepção desenrola-se quando deixamos de fixar egoicamente – quando o ego para de tentar se recriar como um "ego iluminado", quando deixa de olhar para a natureza da realidade e tirar conclusões falsas. Quando, por meio da investigação, da meditação e de um olhar profundo, essas ilusões começam a morrer, toda uma nova área de nossa vida espiritual passa a se abrir.

É uma área não ditada pelas ilusões do ego. É o sempre aberto, sempre profundo relembrar dos aspectos mais sutis de nossa verdadeira natureza. É ao que todos nós somos chamados. É a própria natureza do espiritual desvendando-se.

CAPÍTULO SETE

A PRÓPRIA VIDA MANTÉM UM ESPELHO PARA O NOSSO DESPERTAR

Quero compartilhar alguns aspectos da minha própria jornada de expansão. Para mim, como para a maioria das pessoas, houve um processo que se desenrolou em minha vida após o grande despertar inicial que ocorreu quando eu tinha 25 anos; um processo de desdobramento que durou cerca de sete anos. Já falei sobre algumas coisas que me aconteceram. Mas quero descrever algo mais, que nem sempre é abordado em discussões espirituais: como a vida em si, a vida diária, pode ser nosso professor mais valioso. Vou usar algumas de minhas próprias experiências para ilustrar esse ponto.

Quase desde o momento em que nasci, tinha uma natureza competitiva. Por boa parte de minha vida isso se manifestou por meio de vários esportes. Aos 13 anos, competia em corridas de bicicletas. No fim da adolescência e por volta dos 20 anos, competia em um nível relativamente alto. Treinar e competir tomava grande parte de minha vida. Assim, quando tive um momento de despertar aos 25 anos e todo um processo diferente começou em minha vida, isso me surpreendeu. Realmente não esperava.

À medida que o tempo passava, tinha uma sensação de que a realização vivenciada não estava completa – podia dizer que havia partes de minha estrutura de personalidade egoica que não estavam totalmente alinhadas com o que eu havia realizado e com o que eu sabia. Tentava lidar com isso por meio de minha prática espiritual que, na época, era essencialmente a meditação e a autoinvestigação pela escrita.

Além de nossas práticas espirituais, existe a vida propriamente dita. A certa altura, um ano após aquele despertar, fui acometido por uma série de doenças que realmente me detonaram. Foi fisicamente difícil, mas foi também difícil para o que restara de minha estrutura egoica. Grande parte de minha identidade nos quinze anos anteriores fora construída em torno de eu ser um atleta e fisicamente saudável – mais saudável fisicamente do que 99% das pessoas que eu conhecia.

Como é nossa tendência, eu tinha formado um sentido verdadeiro de *self* em torno de ser uma pessoa fisicamente privilegiada. E com privilegiada não quero dizer que eu era uma pessoa grande, porque não sou. Tenho estatura relativamente baixa e compleição leve, mas, como um ciclista competitivo, não precisava ser corpulento para me destacar. Tinha a ver com ter melhor condicionamento físico do que meus colegas, e uma tremenda parte da minha identidade era construída em torno desse tipo de prevalência.

Durante o período em que tive aquelas doenças, essa identidade foi sendo exterminada. É difícil ter uma identidade como atleta, certamente como um atleta dominante, quando se está debilitado, de cama.

Nos estágios iniciais do adoecimento, toda vez que começava a me sentir só um pouquinho melhor, já me via pedalando. Isso, é claro, sobrecarregava meu corpo e eu adoecia novamente. Durante meses oscilei entre enfermar e tentar me restabelecer, ficando cada vez mais doente no processo. Por fim, adoeci a ponto de ficar de cama por cerca de seis meses.

No final desse período tive uma notável percepção. Não foi o mesmo que iluminação ou despertar, mas, de qualquer modo, foi uma percepção importante. Compreendi que não era mais um atleta. Não atendia mais aos critérios para me considerar um atleta; não estava forte fisicamente, não tinha uma grande resistência e não era mais um grande competidor. A persona do "atleta" não me pertencia mais.

À medida que começava a melhorar, tinha uma sensação incrível de alívio e leveza, porque não tinha mais de ser aquela pessoa fisicamente dominante. Claro, o vislumbre do despertar que tive aos 25 anos já havia me mostrado que, de fato, eu não era aquela pessoa. Mas como frequentemente acontece após uma experiência de iluminação, a estrutura do ego não tinha desistido tão facilmente. Assim, quando novamente melhorei, comecei a ver minha doença como uma verdadeira dádiva, uma forma de graça. A rigor, ela me reduziu a algo tão frágil quanto um cachorrinho, e no processo ofereceu-me o alívio daquele mandato egoico de ser um atleta. Foi o alívio de, literalmente, não ser alguém. Ofereceu-me um sentido ainda mais visceral daquilo que tinha realizado aos 25 anos – que eu não era alguém, que não havia nascido, morrido e sido criado. Foi maravilhoso sentir isto – ser ninguém e nada – em um nível tão profundamente humano.

Adoraria poder contar que a dissolução e o esmagamento do sentido egoico do *self* foram definitivos naquela época. Mas quando comecei a me sentir melhor, voltei a me exercitar. Sempre amei praticar exercícios físicos. Tinha um corpo que adorava ser trabalhado, e sentia muito prazer na atividade física. Era uma grande alegria pedalar novamente – pela floresta, pelas montanhas, próximo de onde eu morava. Era muito mais prazeroso do que antes, porque tinha a alegria da atividade em si combinada com o fato de não precisar mais ser competitivo. Não precisava ser fisicamente preponderante; podia simplesmente pedalar.

Mas, com o passar do tempo, notei que não estava apenas pedalando e me divertindo. Quase sem perceber, tinha começado a mudar para um regime de treinamento, como se eu fosse novamente um ciclista competidor. Eu não era mais um ciclista competidor; tinha me aposentado alguns anos atrás. No entanto, comecei a treinar como se estivesse me preparando para uma competição. Estava consciente do processo à medida que acontecia. Na verdade, dizia a mim mesmo: "Sei que a única razão de estar treinando é para que eu possa retomar minha estrutura de personalidade egoica". Estava consciente do que estava acontecendo, mas não o suficiente para abrir mão daquilo. Ainda não estava pronto para desistir de reconstruir a mim mesmo. Como resultado, vi-me treinando como se fosse para as Olimpíadas. E um ano depois, estava doente outra vez, de volta à cama por outros seis meses, com uma doença esmagadora. Novamente, toda a identidade em torno de ser fisicamente dominante foi arrancada de meu sistema, e novamente senti o alívio surpreendente de não precisar ser alguém, de não ter de me ver sob uma luz específica.

Depois da segunda doença, nunca mais ansiei pela ressurreição daquela velha persona, a pessoa fisicamente dominante que eu era. Ainda sentia o prazer de me exercitar, de usar meu corpo, mas aquela segunda doença erradicou a tendência egoica de encontrar uma identidade em torno de uma imagem centrada no corpo. Isso foi um grande alívio e uma grande alegria.

Seria maravilhoso dizer que eu poderia ter conquistado isso por meio das minhas práticas espirituais, da investigação ou da meditação. Mas, no meu caso – que, acredito, é similar ao de muitas, muitas pessoas –, o maior solvente para o ego foi encontrado em minha própria vida. Está no tecido de nossa existência, nas atribuições que acontecem em nossa experiência diária.

Percebo que isso é frequentemente negligenciado no contexto da espiritualidade. Muitos de nós usamos nossa espiritualidade como uma forma de *evitar* a vida, evitar ver as coisas que realmente precisamos ver, evitar ser confrontados com nossos próprios equívocos e ilusões. É muito importante saber que a vida em si é com frequência nosso maior professor. A vida é cheia de graça – às vezes é uma graça maravilhosa, linda, momentos de êxtase, felicidade e alegria, e às vezes é uma graça impiedosa, na forma de uma doença, da perda de um trabalho ou de alguém que amamos, ou de um divórcio. Algumas pessoas dão os maiores saltos em consciência quando, por exemplo, o vício as coloca de joelhos e elas acabam buscando uma maneira diferente de ser. A vida em si tem uma capacidade tremenda de nos mostrar a verdade, de nos despertar. Ainda assim, muitos de nós evitamos essa coisa chamada vida, mesmo quando ela está tentando nos despertar.

O divino *é* a vida em movimento. O divino usa as situações de nossa vida para realizar seu próprio despertar, e muitas vezes usa situações difíceis para nos despertar.

A ironia é que a maioria dos seres humanos passa a vida evitando situações dolorosas. Não somos bem-sucedidos, mas estamos sempre tentando evitar a dor. Temos uma crença inconsciente de que nosso maior crescimento em termos de consciência provém de momentos belos. Podemos, certamente, dar grandes saltos em consciência por meio de belos momentos, mas eu diria que a maioria das pessoas o faz em períodos difíceis.

Isso é algo que várias pessoas não querem reconhecer – que nossas maiores dificuldades, sofrimentos e dores são uma forma de graça impiedosa; são componentes poderosos e importantes do nosso despertar, se estivermos prontos para eles. Se estivermos prontos para encará-los, podemos ver e receber as dádivas que eles têm para oferecer – mesmo quando parece que os presentes algumas vezes estão sendo impostos sobre nós. Não importa que seja uma doença, a morte de um ente querido, um divórcio, o vício ou problemas no trabalho, é importante encarar as situações de nossa vida para enxergar as dádivas inerentes que estão disponíveis.

No meu caso, seria bom ser capaz de dizer que após as duas doenças que vivenciei, minha estrutura egoica foi completamente dissolvida, que ela não estava tentando se reconstituir, e que eu estava existindo na clara luz do ser constantemente e em todas as situações. Infelizmente, meu carma, aparentemente, não é assim tão puro. Tinha muita coisa por vir. De fato, muito mais do que eu tinha imaginado.

Depois do meu primeiro despertar, um de meus mestres disse-me algo que, naquele momento, soou muito estranho. Poderia dizer que minha professora estava contente com o que me ocorrera e que reconhecera que algo significante tinha acontecido comigo. No entanto, naquele mesmo encontro, ela me falou certas coisas às quais eu deveria estar atento. Disse-me, basicamente: "Aqui estão os caminhos por meio dos quais você poder jogar fora o que compreendeu, que podem levá-lo a evitar a verdade que captou. É dessa forma que poderá voltar a adormecer".

Quando conto essa história, as pessoas sempre perguntam: "Quais eram esses caminhos? O que exatamente sua professora lhe disse?". Mas a sensação que tenho é que minha professora estava se referindo a caminhos específicos para mim. Eles não são necessariamente universais. O engraçado foi que ela me falou sobre quatro ou cinco coisas específicas às quais eu deveria estar atento, e só muitos anos depois é que compreendi que todas as coisas para as quais ela chamara minha atenção aconteceram. Eu fiz cada uma das coisas contra as quais eu devia me precaver.

E, é claro, passei por todas elas. Não que tivesse sido um erro fazê-las; na verdade, o fato de passar por elas me fez ver quão necessário foi para mim vivenciar esses erros.

Uma das advertências mais fortes que ela me fez naquela época soou bem estranha. Ela disse para que eu tomasse cuidado, pois várias pessoas no meu estágio acabavam encontrando alguém, apaixonavam-se e viajavam com essa pessoa, como uma forma de evitar a si mesmas. Naquela época eu pensei: "Afinal, o que isso queria dizer?". Parecia algo tão absurdo e específico – não só encontrar alguém, mas me apaixonar e viajar. Aquilo não parecia se encaixar no meu contexto, em absoluto.

Mas, pasmem, cerca de quatro anos e meio mais tarde, conheci uma mulher. Era uma dessas situações em que o relacionamento era como velcro. Tudo dentro de mim que estava carente ou dependente ou não saudável se encaixava perfeitamente com aquela pessoa. Tudo que ela tinha dentro dela que não era saudável se encaixava perfeitamente com o que não era saudável em mim. A relação foi construída em torno de alguns padrões muito inconscientes.

Não vou lhe contar toda a história sórdida, mas, em suma, nós viajamos juntos para o exterior. Aquela relação foi, de fato, inacreditavelmente difícil, mexeu muito comigo; perturbou-me de um modo que jamais pensei que pudesse ser perturbado, e sofri de formas nunca imaginadas.

O relacionamento foi um desastre disfuncional, e me deixou emocionalmente em frangalhos. Em algum ponto compreendi que a situação era insana. "O que estou fazendo?", pensei. "Como cheguei até aqui?" Naquele momento comecei a compreender algo importante: que uma vez mais tinha entrado em uma situação por não ser verdadeiro comigo. Tinha me deixado levar pelo desejo e pelo apego, e não tinha sido honesto sobre o que estava acontecendo.

Compreendi que a única forma de superar a situação era ser radical e profundamente verdadeiro comigo mesmo, começando a assumir total responsabilidade por ter chegado aonde chegara. Vi que a única maneira pela qual poderia realmente fazer isso era abrindo mão de cada imagem que eu tinha de mim mesmo, pois cada imagem – seja a de uma boa pessoa ou de alguém prestativo ou legal, ou de uma pessoa desperta ou sábia, ou estúpida – era parte do que tinha me levado, inconscientemente, àquela situação.

A única maneira de sair daquele relacionamento era começar a soltar tudo que me levara a entrar nele, primeiramente. O que conduzira a ele eram todas as diversas formas pelas quais eu ainda me percebia a partir de um nível egoico. O único jeito de sair era abrir mão da pessoa que eu queria ser.

Como eu disse, não vou aborrecê-lo com detalhes, mas por meio desse processo deu-se a mais profunda e extraordinária dissolução do *self* egoico que eu já havia experimentado. Não foi uma dissolução como quando nos sentamos em meditação e nosso senso de *self* se dissolve em um maravilhoso estado de presença. Foi mais como se alguém arrancasse camadas de mim, uma por uma, de maneira bem rude. Não foi bom, não foi suave e não foi fácil. Foi a existência forçando um espelho à minha frente e, literalmente, mantendo-me lá, de forma que eu não pudesse desviar o olhar nem por um segundo.

Sem dúvida, esse foi o período mais difícil de toda a minha vida. Por meio desse processo, no entanto, finalmente encontrei a disposição para abandonar tudo o que eu pensava ser. Fui capaz de abrir mão de todo senso de *self* que pudesse emergir – fosse um senso de *self* maravilhoso, fosse um senso de *self* terrível, prestativo ou inútil. Ao permitir que a experiência me despertasse, me deixasse sóbrio, enfim fui capaz de me livrar. O relacionamento e sua ruptura foram uma descida ao fundo do poço. Sentia como se tivesse sido torcido feito um trapo – como se todo o senso de *self* tivesse sido espremido de mim. Mas pela experiência também comecei a sentir que algo surpreendente estava acontecendo; comecei a sentir a sensação de liberdade que chega quando o condicionamento cármico é expelido de nosso sistema.

Com o despertar que tive aos 25 anos, compreendi que eu não era meu corpo, minha mente ou minha personalidade; percebi que tudo era um sonho. Mas o que não entendi é que embora saibamos que é sonho, ainda assim é preciso lidar com ele. Se corpo, mente e personalidade ainda estão divididos, se ainda existem conflitos não equacionados em seu sistema, haverá uma atração gravitacional para levar a consciência de volta ao sofrimento. Vi que o que acontece no corpo e na mente, no final das contas, não pode ser evitado. É preciso lidar com tudo – com tudo. É preciso enxergar através de todas as coisas. Se o que foi percebido era para ser incorporado, para ser vivido plenamente, então esse processo, embora difícil, foi um dos mais importantes de toda a minha vida. Foi como sair daqueles períodos de doença que descrevi; quando terminavam, eu novamente sentia que não era alguém ou alguma coisa. Isso não ocorria apenas em um nível absoluto, não apenas em um nível desperto, mas também em um nível encarnado, como um ser humano. Sentia internamente o que era ser ninguém, ser nada como ser humano. Isso pode soar negativo, mas quando é sentido em plenitude, é extraordinariamente positivo – fazer-se humilde no mais positivo e belo sentido da palavra.

Conto essa história porque todo mundo tem uma história. Todos nós temos nossos próprios caminhos, nos quais a vida tenta manter um espelho para expulsar o *self* condicionado de nós, para extrair de nós o segurar e o agarrar, para espremer todas as nossas crenças, ideias, conceitos e autoimagens.

Se estamos dispostos a olhar, veremos que a vida está sempre no processo de nos despertar. Se não estamos em harmonia com a vida, se estamos trabalhando em oposição a ela, então é realmente uma caminhada árdua, como minha própria vida pode atestar.

Quando não estamos dispostos a enxergar o que a vida está tentando nos mostrar, ela segue aumentando a intensidade até que estejamos propensos a ver o que precisamos ver. Dessa forma, a vida em si é nossa maior aliada. É quase um clichê espiritual dizer que a vida é seu maior mestre. Os alunos balançam a cabeça como se soubessem o que isso significa. Mas só podemos saber o que significa quando passamos por isso, quando permitimos que a vida mantenha um espelho para que possamos nos ver claramente.

Pensar que a iluminação só ocorre por meio de experiências maravilhosas é iludir a si mesmo. Sim, existem casos em que alguém tem um despertar espontâneo, e essa pessoa não possui muitas tendências cármicas para as quais olhar. Mas isso é raro. Para a maioria de nós, o caminho rumo à iluminação não é cor-de-rosa. Precisamos reconhecer isso, pois do contrário só vamos nos permitir viajar em direção ao que nos parece bom, ao que sustenta nossa imagem de como o caminho do despertar deveria ser. Para a maioria das pessoas, o caminho do despertar traz momentos e percepções maravilhosos e profundos. Mas é também algo ríspido. Não é a isso que a maioria das pessoas se propõe quando diz querer se iluminar. A verdade é que a maioria das pessoas que afirma querer o despertar realmente não o quer. Elas aspiram à *sua versão* do despertar. O que desejam de fato é ser verdadeiramente felizes em seu estado de sonho. E tudo bem com isso, se é até onde elas evoluíram.

Mas o impulso verdadeiro, sincero, à iluminação é algo que vai muito além do desejo de tornar melhor nosso estado de sonho. É um impulso disposto a submeter-se ao que for necessário para despertar. O impulso autêntico à iluminação é aquela prece interna pedindo qualquer coisa que nos leve a um despertar pleno, independentemente de ser maravilhosa ou terrível. É um impulso que não estabelece condições quanto ao que temos de passar.

Esse impulso autêntico pode ser um pouco assustador, pois, quando o sentimos, sabemos que é real. Quando você abre mão de todas as condições – quando tem de esquecer o modo como quer que seu despertar aconteça e como sua jornada ocorra –, você abdica de sua ilusão de controle.

Não quero, no entanto, estabelecer outra ideia de que o despertar tem de ser difícil. Mesmo isso é uma ilusão, uma imagem. O despertar em si não precisa ser difícil, mas, no geral, a transição do despertar não permanente para o permanente exige mais de nós do que podemos imaginar.

De fato, temos de estar dispostos a perder todo o nosso mundo. Pode soar romântico quando ouvimos isso pela primeira vez – "Ah, sim, vou me propor a isso! Estou disposto a perder todo o meu mundo". Mas quando todo o seu mundo começa a ruir, e você começa a emergir de estados inimaginavelmente profundos de negação, é algo totalmente diferente. É bem mais real e ríspido. É algo para o qual algumas pessoas se predispõem e outras não.

Não precisamos criar nenhuma imagem sobre o que é necessário para despertar – se será fácil ou difícil. Pode ser fácil; pode ser difícil. Pode ser fácil *e* difícil. Pode ser qualquer coisa que você puder imaginar; pode ser tanta coisa que você nem pode imaginar. Esse é o perigo de oferecer este ensinamento, o de recontar minha própria história ou afirmar que determinadas coisas podem acontecer ao longo do caminho. A mente pode se agarrar a isso e dizer: "Ah, a vida tem de ser realmente difícil se eu quero despertar. Tenho de passar por momentos difíceis". Não é necessariamente assim. É preciso estar disposto a encontrar a si mesmo e encarar suas próprias incertezas. Mas quantos de nós quer se entregar à incerteza, ao desconhecido, ao incontrolável?

Talvez mais do que você imagine. Com frequência encontro mais e mais pessoas dispostas a se engajar nessa jornada, nesse caminho rumo ao lugar onde, de fato, já e sempre estivemos.

Essa jornada não tem a ver com tornar-se algo. Trata-se de *deixar de ser quem não somos*, de deixar de nos enganar. No final, é irônico. Não chegamos a nenhum lugar a não ser aquele em que sempre estivemos, com a diferença de que percebemos esse lugar onde sempre estivemos de forma completamente diferente. Compreendemos que o céu buscado por todos está onde sempre estivemos.

Uma coisa é dizer que tudo já é celestial, que todos já estão despertos, que todos já são Espírito. É verdade, mas, como um sábio mestre zen afirmou há bastante tempo, "que utilidade isso tem se você não sabe disso?".

Mais uma vez, o essencial é certo senso de honestidade. Tudo já é intrinsecamente completo, plenamente Espírito. Já somos o máximo do que seremos um dia. Mas as perguntas são: Sabemos disso? Compreendemos isso? Se não compreendemos, o que nos faz perceber o contrário? E se já compreendemos, estamos vivendo isso? Isso está sendo efetivado? Está funcionando em nossa vida?

Portanto, um dos passos mais importantes é estar em concordância com sua vida, para que você não se afaste de si de forma alguma. E o surpreendente é que quando não nos afastamos de nós, descobrimos muita energia, uma enorme capacidade de clareza e sabedoria, e começamos a ver tudo que precisamos ver.

CAPÍTULO OITO

O COMPONENTE ENERGÉTICO DO DESPERTAR

Um despertar traz inúmeras e diferentes transformações para o indivíduo. Despertar é acordar *do* indivíduo, sim, mas também tem um impacto profundo sobre ele e o transforma de várias maneiras. Para dar concretude ao que estou dizendo, relatei minha experiência pessoal – meu próprio despertar aos 25 anos e algumas das lutas subsequentes que travei. Gostaria de prosseguir com isso.

Por volta dos 32 anos, e inesperadamente, de muitas maneiras, houve outro grande despertar. Na essência, não foi diferente daquele que tive aos 25 anos, mas foi muito, muito mais claro. Creio que seria adequado dizer que o despertar que tive aos 25 anos foi um pouco nebuloso, como caminhar em direção à luz do sol, mas em um dia nublado. Mesmo havendo uma mudança de percepção, não era totalmente límpido.

O despertar que aconteceu aos 32 anos foi extraordinariamente claro; um evento irrevogável e irreversível, uma visão irreversível. O que vi, não muito diferente do que vira aos 25 anos, foi que eu sou tudo e nada, e que estou além do tudo e do nada. Vi que o que sou é inexpressável. Deu-me a sensação de ir, ir, ir... diretamente à raiz da existência.

Não estou interessado em detalhar esse despertar específico agora. Tudo que direi é que, depois, o que foi compreendido jamais deixou de ser compreendido. Jamais foi esquecido; a abertura não se fechou novamente. Naquela época, ocorreram fenômenos no nível físico, e é sobre isso que gostaria de falar. Não raro, esses fenômenos físicos ou energéticos são uma parte do despertar. Algumas pessoas vão experimentar alguns – sobre os quais vou discorrer – mesmo antes do despertar, enquanto outras irão vivenciá-los só mais tarde. Assim, o que vou falar agora aplica-se a alguém que experienciou ou não o despertar.

Quando entendemos a verdadeira natureza da existência – quando a própria existência despertou para si mesma –, quase sempre há um componente energético inerente à compreensão. Por componente energético entenda-se um profundo realinhamento na forma como nosso sistema funciona. Um tipo de reconfiguração ocorre na mente, no nível mental, e há uma reconfiguração de como sentimos e percebemos em um nível emocional. Existe também uma mudança muita profunda na maneira como todo o sistema energético de nosso corpo, tanto material quanto sutil, flui, se movimenta e é vivenciado.

Uma das mudanças energéticas mais comuns que ocorrem com as percepções profundas é simplesmente a pura liberação de muita energia em nosso sistema. Não significa que nosso sistema esteja recebendo um fluxo de energia externa; ao contrário, quando nos tornamos realmente conscientes, os bloqueios e barreiras – as represas internas – se rompem. E à medida que isso acontece, há uma liberação imensa de energia. Na verdade, sempre que a estrutura egoica se dissolve, há uma descarga de energia.

De muitas maneiras, é somente de forma retrospectiva que passamos a entender que o estado de sonho em si, o estado de separação egoica consome uma tremenda quantidade de energia. Somente quando esse estado se dissolve podemos ver a imensa quantidade de energia exigida para sustentar a percepção de separação em que a maioria de nós vive. Enquanto estamos nele, não temos ideia de quanta energia está sendo despendida no sonho da separação. Você pode passar por certos momentos de sofrimento e desespero e sentir como a percepção de separação drena a sua energia. Mas é somente quando a consciência se autoliberta espontaneamente do estado de sonho que há uma tremenda descarga interna – especialmente porque não existem mais bloqueios.

Não quero dar a impressão de que essa energia será experienciada de uma forma específica e com determinada intensidade. Para algumas pessoas, esse movimento da energia é bem pronunciado. Para outras, é muito sutil, como um pequeno ponto luminoso na tela do radar.

Uma das coisas mais comuns que acontecem à medida que essa energia começa a se abrir dentro de nós é a insônia – geralmente nosso sistema não está acostumado à quantidade de energia bruta que acaba circulando por ele. É possível que após o despertar você sinta seu sistema "revigorado" por certo tempo. Pode demorar um pouco para nossos mecanismos internos – mente, corpo e o corpo sutil – adaptarem-se à nova quantidade de energia que estamos experimentando. Esse ajuste raramente acontece da noite para o dia.

Após o despertar, a maioria das pessoas sente que seu sistema está compensando, trabalhando além do tempo regulamentar, para integrar e se adaptar ao novo fluxo de energia que chega com a dissolução do estado de sonho. É comum as pessoas que me procuram dizerem: "Adya, não tenho dormindo bem há seis meses" ou "não tenho dormido mais do que três ou quatro horas por noite nos últimos três anos".

Isso não significa necessariamente que algo deu errado. Existe sempre o potencial de a mente comentar sobre o que está acontecendo, de dizer a si mesma: "Não estou dormindo o bastante. Não posso lidar com isso. Algo deve estar terrivelmente errado". Mas de um ponto de vista diferente, não há nada de errado. Toda a energia do corpo está se realinhando; está entrando em um estado diferente de harmonia. Isso pode levar algum tempo.

Nesse nível físico bruto de energia, vi pessoas vivenciarem todo tipo de coisa além de insônia. Às vezes elas experimentam palpitações cardíacas. Outras vezes experienciam movimentos espontâneos do corpo, em que o corpo libera energia involuntariamente – uma perna pode se debater, um braço pode levantar sem aviso. O sistema está sendo movido por uma força que a mente não compreende.

Além do influxo de energia no nível físico, outras transformações energéticas ocorrem em um nível mais sutil – no nível da mente. Por algum tempo após meu despertar aos 32 anos, sentia como se minha mente fosse um desses velhos painéis telefônicos em que um cabo tinha sido desconectado de uma tomada e colocado em outra. Sentia como se a configuração na minha mente estivesse sendo desfeita e reprogramada de diferentes maneiras.

Não posso dizer que eu sabia o que estava acontecendo ou que tinha qualquer entendimento sobre aquilo; simplesmente era como se minha mente estivesse sendo reconfigurada. Podia sentir uma profunda transformação estrutural acontecendo em meu cérebro, na maneira como minha mente estava trabalhando ou funcionando. Esse processo energético continuou por dois anos, quase como se alguém ou alguma coisa estivesse em minhas células cerebrais, redirecionando-as e estruturando-as.

Depois de alguns anos, notei uma capacidade muito maior de clareza e simplicidade. Minha mente tornou-se um instrumento mais sutil, uma ferramenta mais poderosa; podia ser usada de uma maneira muito precisa, como um laser. Antes de essa transformação acontecer, não diria que minha mente operava em tal nível; houve algum tipo de transformação que levou a um novo senso de clareza e foco.

Houve também um silenciar significativo da mente. Eu tinha praticado meditação por vários anos, ocasiões em que tentava aquietar a mente, mas esse silenciar era diferente. Não havia nenhuma *tentativa* de silenciá-la. À medida que a mente estava sendo reestruturada – à medida que o cérebro estava sendo reconfigurado de diferentes maneiras –, ela ficava muito mais silenciosa. Os pensamentos que se moviam por minha mente eram em geral "pensamentos funcionais" – coisas em que, na verdade, era necessário pensar.

Nós humanos despendemos talvez 10% de nosso tempo pensando em coisas que realmente precisam ser pensadas. Passamos os outros 90% de nosso tempo imaginando, fantasiando e nos envolvendo com todo tipo de histórias e dramas internos que não estão baseados na verdade. Após o despertar, notei que mais dos meus pensamentos se encaixavam na primeira categoria, e poucos eram fantasias e histórias que contava a mim mesmo.

Essa transformação da mente acontece ao longo do tempo, pois é um processo físico de transformação. Quando nossa consciência não está mais obcecada com a mente, a mente relaxa, suaviza e se abre. Essa transição pode até mesmo destruir a memória de alguém. Tive alguns alunos que desenvolveram problemas de memória, e alguns deles fizeram até avaliação para Alzheimer. Na verdade, não havia nada de errado com eles; estavam simplesmente passando por um processo transformacional, um processo energético na mente.

Esse processo é normal. Para que a mente possa entrar em sintonia com o que foi visto, mente e cérebro precisam ser reestruturados. Ouvi uma gravação de Eckhart Tolle, um professor espiritual bastante conhecido, em que ele diz ter tido problemas para usar a mente por uns dois anos após seu despertar. O trabalho que Tolle fazia na época exigia muito de sua mente, então foi um período bem difícil para ele.

Inevitavelmente, se compreendemos que esse é um processo natural, que esse tipo de reorganização no nível mental é algo em que não precisamos interferir ou querer melhorar, pode ocorrer um relaxamento. A coisa mais importante é relaxar e deixar que o processo de reorientação aconteça. Os efeitos colaterais podem ser desconcertantes, mas se você não acreditar em seus pensamentos sobre eles, tudo, na verdade, estará bem. É apenas a mente que vai lhe dizer que o que está acontecendo é difícil ou que você não pode lidar com a situação.

Muitas vezes, se as pessoas dizem que não estão dormindo bem há seis meses – e posso dizer que estão ansiosas em relação a esse fato –, eu lhes pergunto: "Vocês realmente precisam de mais sono do que estão tendo? Vocês realmente sabem se precisam dormir mais do que têm dormido? Ou ficam sentadas na cama à noite dizendo a si mesmas quanto estarão cansadas no dia seguinte?". É impressionante o que acontece quando abandonamos os padrões de pensamento que dizem "eu deveria dormir mais", compreendendo que é apenas um pensamento. Quando deixamos de lado a interpretação da mente quanto ao que está acontecendo, há um relaxamento muito mais profundo no sistema. Esse relaxamento em si promove uma aceleração da transformação física.

Existem transformações energéticas que ocorrem não só na maneira como pensamos e conceituamos, mas também na maneira como sentimos – no modo como nossos sentidos se conectam com o mundo ao nosso redor. Após o despertar, as pessoas geralmente sentem que seus sentidos se tornam extraordinariamente apurados. É comum, por exemplo, notarmos um aumento de nosso campo de visão periférica. Podemos também começar a sentir coisas, a sentir coisas que não sentíamos antes. Podemos ser capazes de sentir o que outra pessoa está sentindo, ou podemos descobrir que ficamos sensíveis à energia dos ambientes e ao campo de energia de outras pessoas. Podemos sentir, pela primeira vez, o campo de energia de animais ou árvores ou plantas ou de nossa casa ou de um aposento específico.

Quando ocorre esse desdobrar energético, há uma abertura da totalidade de nosso ser. Às vezes, as pessoas terão dificuldade com isso. Algumas pessoas me procuram e dizem: "Sinto tudo que os outros estão sentindo. Sinto o que está acontecendo internamente nos outros". Isso pode soar como algo místico ou bacana, mas pense no fato de que a maioria das pessoas está em conflito. Quem quer sair por aí sentindo a energia conflitante dos outros? Assim, essa sensitividade exacerbada pode ser problemática para algumas pessoas.

Normalmente ocorrem alguns pensamentos inconscientes que criam a sensação de que existe um problema. Precisamos ter clareza quanto ao fato de que cada um de nós tem sua própria responsabilidade; que não precisamos sentir tudo que o outro sente. O que o outro sente é dele. É possível ter acesso a isso, mas não significa que você deva vivenciar isso. Às vezes existe uma paixão subjacente à habilidade de empatia que pode ser problemática. Uma parte de você pode achar desagradável sentir o que está se passando com as pessoas, mas outra parte pode gostar disso. É como ficar espionando o estado energético de alguém. Se, inconscientemente, achamos isso prazeroso, então vai acontecer cada vez mais. Se, por outro lado, não estivermos assim tão interessados – não afastamos, mas também não perseguimos –, então a nossa atenção se dirige para onde é apropriado. Às vezes é apropriado sentir o que os outros estão sentindo, especialmente se estiver em comunhão ou mantiver uma relação com eles; isso pode ajudá-lo a entendê-los em um nível cinestésico. Mas você começa a compreender que não é necessário sair por aí sentindo o que os outros estão sentindo quando não mantiver um relacionamento com eles. Entende que o que é deles é deles, não seu.

Não é insensível dizer isso. É uma forma de nos orientarmos quanto à nossa recém-descoberta sensibilidade, para que não nos envolvamos demais na vida dos outros. É também importante notar que algumas pessoas vivenciam esse tipo de experiência empática sem estar de todo despertas, e outras o experimentam muito antes do despertar. Essas experiências não são indicativos do despertar, mas são efeitos posteriores comuns.

O mais importante é não se deixar iludir por qualquer senso de *self* que possa derivar desse tipo de experiência extraordinária, não se deixar iludir por qualquer senso de *self* que possa tentar extrair entretenimento ou poder de uma experiência. Muitas capacidades podem ser desenvolvidas por alguém que esteja desperto. Uma pessoa desperta pode adquirir a capacidade de curar. Simplesmente estar na presença de tal pessoa pode ser algo curativo para as demais. A habilidade de curar é, certamente, uma coisa maravilhosa; é maravilhoso ter essa capacidade. Mas se a estrutura do ego se reconstrói em torno de ser um curador, isso irá causar dificuldades.

Por essas razões, é importante não se deixar deslumbrar com esse novo nível de energia. Se nos deslumbramos com as várias capacidades que podem surgir – às vezes chamadas *siddhis* ou poderes espirituais –, isso pode se tornar outra armadilha espiritual.

No final, se esses poderes surgem, eles vêm como presentes; não surgem como algo a que se agarrar e em torno do qual se reconstruir o senso de *self*. De fato, várias tradições espirituais advertem os alunos para que não se apeguem a esses poderes, para que não tentem reforçá-los de alguma forma. Embora existam vários contos admonitórios nesse sentido, isso não significa que devamos evitar tais presentes especiais que podem surgir com o despertar. A ideia é simplesmente deixá-los ser, como são, uma parte natural do processo.

Notar, permitir, abrir-se, relaxar

Há coisas que você pode fazer para ajudar a aterrar essa energia, caso se sinta particularmente sobrecarregado. No meu caso, esse processo de reorientação energética durou um período de quatro ou cinco anos até que se assentasse. Tive sorte de minha esposa, Mukti, que na época era uma acupunturista praticante, ter podido me ajudar a aterrar a energia por meio da acupuntura. Com frequência sugiro às pessoas que, se a energia que se move em seu sistema parecer opressiva, coisas simples como acupuntura ou acupressão podem ajudar a ancorá-la. Às vezes, simplesmente caminhar na terra com os pés descalços pode ajudar a aterrar a energia que está circulando em seu sistema.

Sendo claro, não sugeriria necessariamente que você tentasse controlar a energia. Vi muitas pessoas terem problemas por isso. Se for fazer algo para ajudar no processo, certifique-se de simplesmente ancorar a energia.

Às vezes, quando esse nível exacerbado de energia começa a se mover e a fluir, vai de encontro aos bloqueios em seu sistema físico. Esses bloqueios podem ser vivenciados como várias formas de pressão no corpo. Algumas vezes as pessoas sentem uma contração no coração ou nas entranhas, outras vezes experimentam uma pressão no topo da cabeça ou atrás das sobrancelhas. Se isso acontecer, o importante é notar que está acontecendo e relaxar.

Não significa que você tem de tentar desbloquear a energia. No devido tempo esses bloqueios tendem a se desobstruir.

Se estiver interessado em lidar com os bloqueios, sugiro que se sente relaxadamente e coloque sua atenção neles. Apenas deixe sua atenção lá; toque o bloqueio e veja o que quer ser mostrado a você. Não tente direcioná-lo ou forçá-lo, simplesmente se abra para o que quiser se mostrar.

No final das contas, o mais proveitoso é manter o processo de pensar fora do que está acontecendo. Quando se vivencia um despertar, várias coisas que não foram necessariamente planejadas vão ocorrer. O que acontece pode não se encaixar no contexto em que você foi criado. Apenas saiba que esses tipos de movimentos e transformações no corpo, na mente e nos sentidos são naturais e normais no processo de despertar.

É útil compreender que um desdobramento energético é uma parte significativa do desdobramento espiritual; quase sempre caminham lado a lado. Como disse anteriormente, algumas pessoas vão vivenciar esses desdobramentos energéticos aberta e profundamente, ou talvez até de forma em tanto perturbadora por algum tempo. Outras vão senti-los de maneira tão suave que quase não os perceberão. O que estou oferecendo aqui é um esboço geral. Se você compreender o processo, as coisas vão correr de modo bem mais tranquilo, principalmente porque você não está mais preocupado com elas.

CAPÍTULO NOVE

Quando o despertar penetra mente, coração e entranhas

Aos 25 anos, após o despertar inicial que descrevi, poderia assumir: "Ah, é isso; isso é tudo. Vi a natureza absoluta da realidade". Poderia ter proclamado ao mundo o que havia descoberto, mas tive muita sorte de haver uma pequena voz interior que dizia: "Isso não é realmente isso. Não é tudo. Continue".

Aquela pequena voz, de certa forma, foi como um salvador. Porque nesse ponto específico da jornada há uma grande tendência de querer se apropriar do que é visto, reivindicá-lo, possuí-lo e, então, criar um novo "*self* iluminado", um "eu iluminado" a partir do que foi compreendido.

Tive sorte de ter essa voz interior. Algumas vezes a voz que nos diz para prosseguir é externa a nós – vem das circunstâncias, da própria vida. Seja como for, é essencial que um despertar inicial não seja apossado ou reivindicado – que não haja a suposição de completude. Embora possa parecer que a jornada chegou ao fim, é importante entender que é a velha jornada que terminou, a jornada rumo àquela visão inicial, a jornada em que você não tinha nenhuma consciência de quem ou do que era. Agora começa uma nova jornada – a jornada de expressar a não divisão em cada nível de seu ser. E essa jornada pode levar anos para se completar.

O QUE SIGNIFICA SER NÃO DIVIDIDO?

Nestes ensinamentos, falei sobre ser não dividido e equiparei o despertar a estar em um estado de não divisão. Mas quero ter certeza de que ninguém tenha uma ideia equivocada do que significa ser não dividido. A não divisão é o *efeito* do despertar; é a expressão da percepção de nossa verdadeira natureza. Como disse, ser não dividido não tem nada a ver com ser perfeito ou santificado. Portanto, não existe nenhuma garantia de que após o despertar, em algum momento específico, você não irá experimentar a divisão de alguma forma. Não existe nenhuma garantia de que aquela divisão jamais ocorrerá novamente. Na verdade, ser livre, estar desperto, é soltar, deixar de lado as preocupações com tais coisas, sobre quão desperto alguém está ou não.

Um dos poemas mais importantes da tradição zen termina com a seguinte descrição do estado desperto: "*Ser* sem ansiedade quanto à imperfeição". Portanto, ser não dividido não significa ser perfeito. Ser não dividido não corresponde às imagens que possamos ter em nossa mente sobre santidade ou perfeição. Se alguém olhasse para a minha vida, estou certo de que teria inúmeras razões para dizer coisas como "Ah, isso não se encaixa na minha ideia de como um ser iluminado seria. Isso não se encaixa na minha imagem de como é um ser não dividido". Estou certo de que minha vida provavelmente não corresponderia aos ideais de muitas pessoas no que se refere a como a iluminação deveria ser. Porque, de fato, sou um ser humano muito mais comum do que a maioria das pessoas imagina. Para mim, parte do despertar é morrer na normalidade, na não ansiedade.

Independentemente do que as pessoas possam dizer ao olhar para a minha vida ou para a de outros, o estado de não divisão não é algo que se pode compreender até que ele comece a despertar dentro de você. Só posso encorajá-lo a não acreditar em nenhuma imagem que possa surgir em sua mente sobre santidade ou perfeição, pois elas só atrapalham. Ser não dividido – ser e agir a partir da não separação, da Unidade – é algo que cada um deve descobrir por si só. O que é ver além do amor e do ódio, do bem e do mal, do certo e do errado? Isso deve ser descoberto em sua própria experiência. Avaliar a experiência de não divisão de outras pessoas não tem serventia. A única coisa que importa é onde *você* está. Você está vivenciando e agindo a todo momento a partir da divisão ou a partir da Unidade? A partir de que estado?

Como mencionei, o despertar impacta as pessoas de formas diferentes, dependendo de seus condicionamentos. Descobri que um modelo útil para trabalhar com alunos é considerar como o despertar nos afeta em três níveis de nosso ser: no nível mental (o nível da mente), no emocional (o nível do coração) e no existencial (o nível das entranhas). À medida que o despertar vai penetrando a totalidade de nosso ser, podemos experimentar graus distintos de não divisão em cada um desses níveis. Por favor, tenha em mente que esses três níveis são metafóricos; são apenas uma ferramenta para ajudar a dar sentido a algo que as pessoas experienciam. Desde que esse modelo conceitual não seja mantido com muita rigidez, ele pode ser útil.

No momento de um despertar autêntico, o Espírito é completamente liberado em todos os níveis do ser, de uma só vez. De repente, despertamos para uma visão, para uma maneira de perceber, que é totalmente diferente de qualquer outra coisa que conhecíamos anteriormente. Na sequência desse evento, podemos ou não nos estabilizar igualmente nessa visão plena e completa em todos os níveis de nosso ser. Normalmente é como uma corda de *bungee jumping* que se estende por completo, mas então, por certas tendências cármicas, se retrai. A corda jamais retorna ao ponto em que se encontrava antes do despertar, mas se recolhe a um certo nível. Isso pode acontecer de forma irregular, de maneiras diferentes, por todo o nosso ser.

Despertando no nível da mente

Vamos começar olhando para o que ocorre no nível da mente após uma experiência de percepção. O que significa experienciar a não divisão no nível da mente? Todos nós sabemos como é sentir-se dividido no nível da mente, ter um pensamento conflitante com outro, ter uma parte da mente dizendo "Eu deveria fazer isso" e outra, "Eu não deveria fazer isso". Ter uma mente dividida é ter uma mente em conflito com ela mesma.

Quase todas as mentes encontram-se em grande conflito. Nossos padrões de pensamento movem-se de um lado para outro, entre bom e mau, certo e errado, santo e profano, digno e indigno, e mesmo entre iluminado e não iluminado. Esses pensamentos polarizados provocam a experiência da divisão no nível da mente.

À medida que despertamos e o despertar penetra e é revelado no nível da mente, o que vemos primeiro é que nada na estrutura do pensamento é essencialmente verdadeiro. Mas não me interpretem mal. Não estou afirmando que a mente não tem valor ou é algo ruim. A mente, que nada mais é do que pensamento, é uma ferramenta como todas as outras. É uma ferramenta assim como o são um martelo, uma serra ou um computador.

Mas no estado de consciência que a maioria dos seres humanos se encontra, a mente é facilmente confundida com algo que ela não é. A mente não é vista como uma ferramenta, mas como a fonte de um senso de *self*. A maioria das pessoas está constantemente perguntando à mente: "Quem sou eu?"; "O que é a vida?"; "O que é verdadeiro?". Elas se dirigem à mente para que esta lhes diga o que deveriam ser ou não. Isso é ridículo! Você não iria até a sua garagem e perguntaria ao seu martelo quem você é ou qual a coisa certa ou errada a fazer. Se fosse, e seu martelo pudesse lhe responder, provavelmente diria: "Por que você está me perguntando? Sou a ferramenta errada para esse tipo de pergunta".

Mas fazemos isso com a mente. Esquecemos que a mente é uma ferramenta – uma ferramenta muito poderosa e útil. Tudo começa na mente. Todo carro que você dirige, todo edifício em que você entra, todo shopping ao qual você vai – tudo começou como um pensamento na mente de alguém. Tal pensamento foi então considerado proveitoso e necessário, e a ideia manifestou-se por meio da ação. Portanto, a mente é poderosa e útil.

Mas na consciência humana, a mente não é vista simplesmente com uma ferramenta. O que de fato aconteceu é que a mente usurpou a realidade. Tornou-se sua própria realidade, a tal ponto que nós, seres humanos, encontramos nosso senso de *self* – quem pensamos ser, nossa autoimagem – em nosso processo de pensamento.

À medida que a luz do despertar começa a penetrar no nível da mente, vemos que a mente não tem uma realidade inerente a si mesma. É uma ferramenta que a realidade pode usar, mas não é a realidade. Em e por si, um pensamento é só um pensamento. Um pensamento não tem veracidade em si. Você pode ter o pensamento de um copo de água, mas se estiver com sede, não pode beber o pensamento. Você pode pensar em um copo de água até morrer, mas efetivamente pegar um copo físico e beber a água nele contida é uma experiência totalmente diferente. Você pode pegar o copo e beber a água sem nenhum pensamento sobre o copo ou a água. Portanto, o pensamento em si é vazio; é vazio de realidade. Na melhor das hipóteses, o pensamento é simbólico. Pode apontar na direção de uma verdade ou de um objeto, mas vários pensamentos nem sequer fazem isso. Muitos pensamentos na consciência humana são apenas pensamentos pensando sobre outros pensamentos – pensando sobre o pensar. Os meditadores estarão meditando e um pensamento será: "Eu não deveria estar pensando". Mas, é claro, esse pensamento é, em si, um pensamento. É muito fácil ser aprisionado em vários *loops* de pensar sobre o pensar.

À medida que despertamos no nível da mente, começamos a perceber desde um ponto além da mente. Compreendemos que a mente em si é vazia de realidade, e essa é uma percepção profunda. É fácil dizer que a mente é vazia de realidade. Pode até ser uma coisa fácil de entender para algumas pessoas. Mas *ver* que a mente é desprovida de realidade é radical ao extremo. É radical enxergar que todo o nosso senso de *self* e o mundo são criados na mente. Quando notamos que a estrutura do pensamento não contém nenhuma realidade intrínseca, passamos a ver que o mundo como o percebemos, através da mente, não pode ter nenhuma realidade. Isso tem um grande impacto; o *self* que percebemos ser não tem nenhuma realidade.

Despertar no nível da mente é a destruição de todo o nosso mundo. Isso é algo que jamais, jamais podemos antecipar. Toda a nossa visão de mundo é destruída – todos os modos como somos condicionados, todas as nossas estruturas de crença, todas as estruturas de crença da humanidade, desde o presente ao passado distante. Tudo isso entra na formação deste mundo particular, deste consenso com que todos os seres humanos concordaram, desta visão das coisas como verdadeira, literalmente a de "Eu sou um ser humano"; ou "Existe tal coisa como um mundo"; ou "O mundo precisa ser de um jeito específico". Despertar no nível da mente é uma completa destruição de tudo isso e, portanto, de todo o nosso mundo.

Quando despertamos no nível da mente, começamos a pensar: "Meu Deus, a forma como via o mundo era uma completa invenção, literalmente o material dos sonhos. Não tinha nenhum fundamento na realidade, em absoluto. A maneira como me via também era totalmente fabricada". Não importa se alguém se vê como iluminado ou não iluminado, bom ou mau, digo ou indigno. A não divisão no nível da mente é ter todas essas estruturas de ego completamente apagadas. É quase impossível para mim expressar de forma coerente quão total é essa destruição do mundo no nível da mente. É perceber que não existe tal coisa como um pensamento verdadeiro e compreender isso no nível mais profundo, ver que todos os modelos que criamos – mesmo os modelos espirituais, os ensinamentos – são literalmente o material de sonhos.

O próprio Buda afirmou que todos os *dharmas* são vazios. Os *dharmas* são os ensinamentos. São as verdades que ele pronunciava. Uma das verdades sobre as quais ele falava era a de que todos esses *dharmas*, todas essas verdades que ele acabara de dizer aos alunos, eram todos vazios. A verdade de quem você é está muito além dos maiores *dharmas*, dos maiores sutras, das maiores ideias que jamais poderiam ser ditas, registradas ou lidas.

Internamente, isso é experienciado como destruição. Com frequência digo às pessoas para não se enganarem quanto a isto: a iluminação é um processo destrutivo. Não tem nada a ver com tornar-se alguém melhor ou ser mais ou menos feliz. A iluminação é o desmoronamento da não verdade. É ver através das aparências. É a completa erradicação de tudo que imaginamos ser verdadeiro – de nós mesmos ao mundo.

Nesse processo, descobrimos que mesmo as maiores invenções das mentes mais geniais na história da humanidade nada mais são do que sonhos de crianças. Começamos a ver que todas as grandes filosofias e todos os grandes filósofos são parte do sonho. Despertar no nível da mente é como puxar a cortina, como fez Dorothy em *O mágico de Oz*. Ela esperava ver o Grande Oz, mas quando a cortina foi puxada, viu que o Grande Oz era um homenzinho movendo alavancas. Enxergar através da natureza da mente é assim. É algo radical. É inesperado quando vemos que tudo que se coloca como verdade é, de fato, parte do estado de sonho e o está mantendo intacto.

Não existe um pensamento iluminado. É bem chocante para nosso sistema ver isso. De fato, a maioria de nós se protege de ver essa verdade. Falamos que queremos a verdade, mas queremos mesmo? Afirmamos que queremos conhecer a realidade, mas quando isso acontece, é tão diferente do que pensávamos. Não se encaixa em nosso contexto; não se encaixa em nossas imagens. É algo completamente além delas. Não é simplesmente algo além delas; na verdade, destrói nossa habilidade de ver o mundo da maneira antiga. Transforma nosso mundo em escombros.

Quando tudo é dito e feito, o que nos resta é nada. Ficamos totalmente de mãos vazias, sem nada a que nos agarrar. Como Jesus disse, "Os pássaros têm seus ninhos nas árvores, e as raposas, suas tocas no solo, mas o filho do homem não tem um lugar para descansar a cabeça". Não existem conceitos, estruturas de pensamento sobre os quais podemos descansar.

É isso que significa a total liberação. Somente com a liberação completa a verdade do que somos pode brilhar sem distorções. Mas, no geral, essa total liberação no nível da mente não é algo que acontece inteiramente no momento do vislumbre inicial da verdade. Nossas construções mentais normalmente continuam a se desmoronar por algum tempo após o despertar – isto é, se você permitir isso, e se vir que o desmantelamento da mente e do mundo é o que a verdade do ser está buscando realizar. Não vemos as coisas em sua natureza verdadeira até que deixemos de vê-las em sua natureza irreal.

Estar plenamente desperto no nível da mente é algo muito profundo. Quando encontro pessoas que tiveram um despertar autêntico, em geral acho que, em certo grau, suas mentes cooptaram o que elas perceberam e o transformaram em outra formulação mental. Isso, é claro, faz que a percepção direta lhes escorra por entre os dedos. Mais cedo ou mais tarde descobrimos que não podemos conceituar a verdade. Quando compreendemos isso, a mente torna-se uma ferramenta, e passa a ser útil para outras coisas que não o pensamento. Daí emerge a possibilidade de tanto mente como pensamento, e mesmo fala, se originarem de um lugar diferente. Então, o que está usando a mente é o Ser. O pensamento pode surgir do silêncio; a fala pode emergir do silêncio; a comunicação pode vir do silêncio – de um lugar muito além da mente. Logo, a mente é usada como uma ferramenta, como um dispositivo para a comunicação, para apontar, para orientar. Mas vai sempre permanecer transparente para si mesma; jamais irá fixar e criar uma nova crença ou ideologia.

Despertando no nível do coração

A palavra *coração* refere-se a todo o nosso sistema emocional, a todo o nosso corpo emocional. Estar desperto no nível da emoção significa não mais extrair um senso de *self* do como e do que sentimos. Se nos sentimos bem, se nos sentimos mal, se nos sentimos saudáveis, doentes, despertos ou cansados, não estamos mais encontrando e extraindo um senso de *self* daquilo que vivenciamos.

Normalmente, nosso senso de *self* está ligado e emaranhado àquilo que sentimos. Se afirmamos para nós mesmos: "Sinto-me raivoso" ou "Estou com raiva", o que estamos realmente dizendo é que nesse momento meu senso de *self* fundiu-se com a emoção da raiva. E, é claro, essa fusão é uma ilusão, porque o que somos não pode ser definido por uma emoção que percorre o corpo.

Despertar no nível da emoção significa que começamos a ver e compreender que o que sentimos não nos diz quem e o que somos. Diz o que sentimos; ponto. O que sentimos não precisa ser evitado ou negado, mas não nos define. Quando não mais definimos o *self* no nível da emoção, nosso senso de *self* é liberado do nível da emoção, é liberado dos sentimentos conflitantes que estão nesse nível.

Para a maioria dos seres humanos, não mais ser definido por aquilo que sente representa uma transformação revolucionária. Mas, é claro, não podemos chegar lá evitando o que sentimos. Nossas emoções e nossos sentimentos são, na verdade, indicadores fantásticos para o que não está resolvido em nosso ser, para o que podemos ou não ter visto. Nosso corpo é um grande medidor da verdade; assim que entramos em um senso emocional de divisão – ódio, inveja, ciúme, ganância, culpa, vergonha etc. –, sabemos que estamos percebendo desde um estado de divisão. Essas emoções que surgem da divisão são como pequenas bandeiras vermelhas, lembrando-nos de que não estamos identificando a verdadeira natureza das coisas.

A confusão emocional nos diz que temos uma crença inconsciente que não é verdadeira. Nossa mente empacotou algo – talvez tenha acondicionado um evento no presente; talvez tenha embalado o passado. O que sabemos é que ela empacotou um evento de tal forma que está provocando confusão.

O corpo emocional é um meio fantástico para se entrar em algo e em tudo que precisa ser visto. É um ponto de entrada em qualquer ilusão, em qualquer coisa que cause um sentido de separação. Se somos emocionalmente instáveis, se podemos ser tirados de nosso equilíbrio emocional com muita facilidade, então é vital começar a olhar para a nossa vida emocional. Não quero com isso dizer que precisamos analisar nossas emoções e abordá-las terapeuticamente – isso pode ser necessário e benéfico para algumas pessoas, mas não é sobre isso que estou falando aqui. Estou falando de investigar a natureza do medo, a natureza da raiva. Quando sentimos uma contração emocional, do que se trata essa contração?

A maior parte de nossas emoções, especialmente as chamadas emoções negativas, pode estar ligada à raiva, ao medo e ao julgamento. Esses três estados são gerados quando acreditamos em nossos pensamentos. Nossa vida emocional e nossa vida intelectual não estão realmente separadas; são uma só coisa. Nossa vida emocional revela a nossa vida intelectual inconsciente. Reagimos emocionalmente a pensamentos que em geral nem sabemos que estamos tendo; dessa forma, esses pensamentos inconscientes são manifestados.

Com frequência as pessoas vêm até mim com alguma emoção específica que as está incomodando – pode ser medo, raiva, ressentimento, ciúme, qualquer coisa. Digo-lhes que se quiserem liberá-la, precisam alcançar a visão de mundo subjacente ao sentimento. O que a emoção diria se pudesse falar? Que padrões de crenças ela carrega? O que ela está julgando?

O que estou realmente perguntando é como essa pessoa está sendo atraída para um estado de divisão emocional. Como disse, somos programados para experienciar emoção negativa toda vez que percebemos a partir de um estado de divisão. Nossa vida emocional é um indicador claro e confiável de quando estamos percebendo as coisas a partir da divisão. Sempre que entramos na divisão, há um nível de conflito emocional que podemos sentir, o qual pode funcionar como um pedido de atenção. Assim que alguém sente um conflito emocional, as questões que deveriam ser feitas são: "De que maneira estou entrando na divisão? Neste momento, o que está causando esta sensação de separação, de isolamento ou de querer me defender? Em que estou acreditando? Que suposições estabeleci que estão sendo reproduzidas em meu corpo e manifestando-se como emoção?".

Dessa forma, emoção e pensamento estão conectados; são duas manifestações da mesma coisa. Não podem ser separados. Normalmente, quando as pessoas chegam até mim com uma emoção negativa, peço-lhes que identifiquem o pensamento que está por trás da emoção ou sentimento. Às vezes, as pessoas insistem não ter um pensamento por trás da emoção. Nesse caso, sugiro que elas se sentem *com* a emoção e meditem a respeito. Se a emoção pudesse falar, o que ela diria?

Mais e mais, noto que quando as pessoas trabalham com um sentimento difícil por um dia, dois dias ou uma semana, elas têm aquele tipo de "aha!". Elas dizem: "Adya, realmente acreditava que não havia nenhum pensamento ligado à minha emoção. Achava que fosse apenas medo ou raiva ou ressentimento. Mas, na verdade, quando mergulhei fundo na emoção e fiquei em silêncio, de repente comecei a ouvir a história. Pude ouvir os pensamentos que estavam criando a emoção".

Uma vez capazes de encontrar os pensamentos que estão gerando suas emoções, as pessoas podem começar a questionar qual é o pensamento, exatamente, e se ele é verdadeiro. Porque, claro, nenhum pensamento que causa divisão é verdadeiro.

Isso é chocante. Todos crescemos em um mundo onde, acreditava-se, certas emoções negativas podiam ser justificadas. O sentimento de ser uma vítima é um bom exemplo. Afirmamos: "Bem, isto ou aquilo aconteceu comigo, fulano ou sicrano me fez alguma coisa e, por isso, sou uma vítima". Podemos construir toda uma vida intelectual e emocional em torno da crença de que temos uma justificativa para ser vítima. Mas quando olhamos para isso, vemos que é apenas um meio pelo qual entramos na separação. A realidade não vê as coisas em termos de vítimas. Ela vê as coisas de uma perspectiva totalmente diferente. Podemos pensar: "Fulano ou sicrano não devia ter me dito isto", mas a realidade é que disseram. Assim que a mente diz que alguma coisa não devia ter acontecido, experienciamos uma divisão interna. É imediata. Por que experimentamos a divisão? Porque estamos argumentando com a realidade.

Isto é muito certo: se argumentamos com a realidade, por qualquer razão, entramos na divisão. É assim que as coisas funcionam. *A realidade simplesmente é o que é.* No momento em que temos algo em nós que julga, que condena, que diz que não devia ser assim, vamos sentir divisão.

A maioria de nós aprendeu que entrar na divisão em relação a certas coisas é natural. Fomos ensinados que estaríamos nos iludindo se não entrássemos na divisão em relação a certas coisas, acerca de nosso próprio sofrimento ou ao de outra pessoa. É como se realmente não fôssemos uma pessoa de sentimentos se não experimentássemos internamente certa divisão perante eventos específicos.

Mas essa é uma das partes surpreendentes e chocantes de entrar nos reinos mais profundos da percepção: compreendemos que não existe uma razão justificada para argumentar com a realidade, pois jamais venceremos a batalha. Discutir com a realidade é um caminho certo para o sofrimento, uma prescrição perfeita para a angústia.

Pior ainda, descobrimos que estamos presos àquilo com que estamos discutindo. Se aconteceu há trinta anos ou ontem pela manhã, se brigamos com isso, estamos presos à armadilha. Estamos vivenciando a mesma dor, repetidamente. Brigar com algo não nos ajuda a ir além; não nos ajuda a lidar com a situação. Na verdade, nos aprisiona; nos une àquilo com que estamos argumentando, seja o que for.

É surpreendente, de fato, perceber que nenhum de nossos argumentos contra o que é, ou com o que foi, tem qualquer fundamento na verdade. Nossos argumentos são apenas parte do estado de sonho. Agora, dizer que eles são parte do nosso estado de sonho ou ouvir alguém dizer isso não é suficiente. Cada um de nós tem de olhar por si; cada um de nós tem de olhar para a própria vida emocional a fim de trazer à consciência qualquer coisa que tenha o poder de nos levar a vivenciar a divisão. Precisamos olhar para as nossas emoções e vê-las do jeito que são; precisamos questionar sua veracidade, meditar sobre elas em silêncio e deixar que as verdades profundas se revelem.

Como disse, esse não é necessariamente um processo analítico. A investigação verdadeira é vivencial. Não estamos tentando impedir que algo aconteça, pois a investigação verdadeira não tem nenhum objetivo a não ser a própria verdade. Ela não está tentando nos curar ou nos impedir de sentir sentimentos desagradáveis. A investigação não pode ser motivada somente por um desejo de não sofrer. O impulso de não sofrer é compreensível, mas há algo mais que deve acompanhar a investigação genuína, que são o desejo e a disposição de enxergar o que é verdadeiro, de ver como nos colocamos em conflito. Assim que percebemos que é você e eu que nos colocamos em conflito – que ninguém e nenhuma situação em nossa vida tem o poder de fazer isso –, vemos que nossa vida emocional é um portal. Ela oferece um convite para olharmos profundamente, para olharmos de um estado desperto – um estado que não está tentando mudar ou alterar nada, mas é em si um amante da verdade.

Pode ser fácil interpretar erroneamente o que estou dizendo, concluindo que todas as emoções negativas são indicações de divisão. Não é isso que quero dizer. Alguém pode estar triste sem se sentir dividido. É possível sentir pesar sem estar dividido. Uma pessoa pode sentir certa raiva sem estar dividida. Em nossa cultura ocidental não temos muito contexto para essa ideia. No Oriente, entretanto, existem litanias inteiras de deidades iradas; no budismo tibetano e nas tradições hindus, por exemplo, as personificações de Deus e do Divino nem sempre estão sentadas sobre uma flor de lótus no céu, rindo de felicidade. Nessas tradições, como em outras pelo mundo, a espiritualidade inclui uma vasta gama de experiências emocionais humanas. Assim, não deveríamos concluir que a presença de emoções negativas – ou do que *nós* chamamos de emoções negativas – seja uma indicação de ilusão. A chave é se a emoção se origina ou não da divisão. Se sim, então a emoção está baseada em uma ilusão. Se você investigar sinceramente e descobrir que uma emoção não se origina da divisão, então ela não está baseada na ilusão. Enxergar isso nos abre um amplo leque de emoções. Nós nos abrimos, tornamo-nos um grande espaço no qual os ventos das diferentes emoções podem viajar por nosso sistema. A liberdade de que falo, então, é a liberdade proveniente das emoções que se originam da divisão.

Como as emoções mantêm coesa a ilusão do *self* separado?

Se olharmos profundamente, veremos que o medo é o esteio que mantém intacto nosso senso de *self* emocional. Então, por que temos tanto medo? Porque temos essa ideia limitada e separada de quem somos. Temos uma imagem de nós mesmos como alguém que pode ser machucado, ferido ou ofendido.

Temos de ver, por meio de nossa investigação, que esse senso de *self*, esse senso separativo é uma ilusão. Não é verdadeiro. É uma mentirinha que contamos a nós mesmos. É aquela pequena conclusão – que eu sou a pessoa que imagino ser – que nos abre ao medo. Porque a pessoa que imaginamos ser também imagina que pode ser ferida a qualquer momento, aquele senso de *self* ilusório vê a vida como muito perigosa. Alguém pode chegar e dizer uma palavra rude, e o senso de *self* ilusório pode imediatamente entrar no conflito, na dor e no sofrimento. Sentimo-nos inseguros porque nosso senso de *self* pode ser machucado muito facilmente.

Nosso senso de ser um *self* separado origina-se de uma mistura de pensamento e sentimento. A maior parte de nossas emoções deriva do que pensamos. Abaixo do pescoço, nosso corpo é uma máquina duplicadora do que nossa mente pensa. O corpo e a mente estão conectados; são dois lados de uma moeda. Sentimos o que pensamos. Quando temos uma emoção, o que na verdade estamos experienciando é um pensamento. O pensamento em si com frequência não é consciente. O surpreendente quanto à forma como somos capturados é que nosso centro de sentir, nosso centro cardíaco, duplica o pensamento em sentimento; ele transforma os conceitos em sensações muito reais, vívidas e sentidas.

Quando falo do nível da mente e do nível do coração, pode soar como se eu estivesse falando de duas coisas diferentes. Estou na verdade falando de um fenômeno: corpo e mente, sentimento e emoção, dois lados de uma moeda.

À medida que despertamos das fixações e das identificações nos níveis da mente e das emoções, passamos a ver que não há alguém para ser ferido; não há alguém ou alguma coisa para ser ameaçado pela vida. Na verdade, *somos a própria vida*. Quando vemos e percebemos que somos a totalidade da vida, não temos mais medo dela; não temos mais medo do nascimento, da vida, da morte. Mas até que possamos ver isso, vamos enxergar a vida como intimidadora, como uma barreira que, de alguma forma, temos que ultrapassar.

Despertar no nível da emoção nos liberta dessas fixações baseadas no medo. Quando começamos a despertar nesse nível, somos livres para sentir o mundo de uma forma mais profunda; todo um potencial diferente torna-se disponível para nós. O corpo emocional, toda a área centrada no coração, é de uma sensibilidade incrível. Esse é o órgão do sentir do não manifesto. É por meio dele que o não manifesto sente a si mesmo, se autovivencia e conhece a si mesmo. Isso é bem diferente de um conceito de "eu" sentindo a si próprio e se autoencontrando mediante emoções e sentimentos. Quanto mais despertos estamos, mais somos capazes de experienciar todo corpo-mente como um literal instrumento de sentir do *self* absoluto, unificado.

De certa maneira, quanto mais despertamos do corpo emocional, mais o corpo emocional desperta. Ele se abre. Quanto menos conflitados estamos em nossas emoções, mais aberto fica o nosso corpo emocional. Isso porque, quanto mais entendemos que não há nada a proteger – que todos os pensamentos, ideias e crenças que nos levam a entrar na proteção emocional são falsos –, mais abertos ficamos.

Despertar nesse nível é uma grande abertura do coração espiritual. Talvez você já tenha visto representações de Cristo em que ele está, literalmente, segurando e abrindo seu peito e revelando um lindo, radiante e brilhante coração. Essa é uma representação da abertura do coração espiritual. Um ser desperto é um ser tremendamente disponível emocionalmente – alguém que não está se defendendo nos níveis emocional e intelectual. Parte do que acontece quando despertamos no nível do coração é que experienciamos a nós mesmos em um sentido absoluto para ser totalmente sem defesas. Quando estamos sem defesas, o que flui naturalmente de nós é amor – amor incondicional.

A natureza maior da realidade não discrimina; a realidade é o que é. O sinal mais verdadeiro de um coração desperto é que ele é um amante que não discrimina o que é. Isso significa que ele ama tudo porque vê tudo como é. Esse é o nascimento do amor incondicional. Quando esse amor incondicional começa a se abrir dentro de nós, é a forma pela qual a realidade expressa a si mesma. A realidade apaixonando-se por si mesma acontece através do coração desperto. Não é algo pessoal. É a realidade, um amante que não discrimina, apaixonado por si mesmo. Ela ama tudo e a todos. Ama até mesmo aqueles que, de um nível pessoal, você pudesse não amar. É surpreendente quando começamos a perceber que amamos coisas, eventos e pessoas que não amamos no nível da personalidade. Compreendemos que não importa. Quando a verdade é despertada, ela ama todas as coisas; ama as pessoas de que sua personalidade gosta e ama aquelas de que sua personalidade desgosta. O coração desperto ama o mundo como é, não como poderia ser. Quanto mais despertamos nesse nível, mais experimentamos o amor incondicional, que é um dos chamados mais profundos da vida humana.

Despertando no nível das entranhas

O terceiro tipo de despertar é o despertar no nível das entranhas, que é nosso senso de *self* mais existencial. É aquela parte de nós em que existe um tipo básico de posse – uma posse de nossas raízes. É como ter um punho cerrado no meio das entranhas; é nosso senso de *self* mais rudimentar. É aquilo que aperta e contrai. É aquele apertar e contrair em torno do qual todos os outros sensos de *self* são construídos.

Quando o Espírito ou consciência entra na forma, na manifestação, inicialmente isso é vivenciado como um choque. Esse movimento súbito vindo de um potencial ilimitado para a experiência limitada da forma é chocante para a própria consciência. Esse aperto nas entranhas é aquela contração, aquele choque experimentado no nível físico.

Para se ter noção do que estou descrevendo, imagine que você está nascendo. Está saindo de um ambiente totalmente protegido, aquecido e nutridor e, subitamente, chega a uma sala. O lugar é muito mais frio do que aquele de onde você veio; existem luzes ofuscantes e vozes altas. Alguém o segura à força, puxando-o. Essa é sua apresentação à vida, à vida fora do útero. Se puder imaginar isso, fica fácil entender como esse bebezinho poderia sentir um nó nas entranhas. O nascimento é tão violento, tão súbito e tão inesperado que pode criar esse tipo de aperto.

Além desse choque inicial de chegar à forma, temos várias experiências que reforçam um aperto nas entranhas ao longo de nossa vida. Seja na infância, seja no processo de crescimento, de tempos em tempos a maioria de nós tem experiências que nos fazem contrair em medo e choque. Essas experiências exacerbam aquele aperto no nível das entranhas.

Como encontramos esse aperto? Como lidamos com ele? No final das contas, temos de encontrar o medo daquele aperto, porque o aperto é isto: somente uma resposta ao medo. É como se você tivesse um punho cerrado agarrado à sua entranha, e ela está gritando: "Não, não, não, não, não! Não à vida, não à morte, não ao ser, não ao não ser! Não, não, não! Vou agarrar! Vou segurar! Não vou abrir mão!".

Mesmo o movimento rumo ao despertar pode, às vezes, gerar medo. À medida que as pessoas se aproximam do despertar, é normal elas experienciarem o medo – porque o despertar é uma liberação repentina desse aperto nas entranhas. Não existem garantias de que esse aperto não retornará; ele pode segurar e apertar novamente. Mas, a princípio, o despertar é uma liberação dessa retenção. Conforme as pessoas se aproximam do despertar, elas geralmente experimentam uma sensação intuitiva de agarrar e segurar ainda mais firme, como se fossem ser destruídas ou mortas. É um medo irracional que emerge pelo sistema.

Quando as pessoas me contam que estão tendo esse tipo de experiência, a primeira coisa que lhes digo é que isso é comum, que quase todos passam por essa experiência em algum momento. "Não é um problema", afirmo. "Você está apenas se tornando consciente de um aperto do qual, talvez, não tivesse consciência anteriormente."

A essa altura, uma pergunta comum é: "Como me livro disso?". Essa pergunta surge da perspectiva da consciência egoica. A consciência egoica sempre quer se livrar do que não é confortável. Mas, é claro, seja o que for de que tente se livrar, você tende a sustentar. O próprio ato de tentar se livrar de alguma coisa sustenta-a. Ao tentar se livrar de algo, inconscientemente você está concedendo-lhe realidade. Se estiver tentando livrar-se de algo, precisa perceber isso como real, pois essa concessão inconsciente de realidade adiciona energia à coisa da qual você está tentando se livrar. Esse tipo de agarramento não pode ser resolvido por meio de uma técnica. De certa forma, a consciência de que não há nada que se possa fazer é a compreensão mais importante que você pode ter.

Perguntar "O que devo fazer?" é uma forma velada de dizer "Como controlo esta situação?". O único antídoto para esse tipo de intenção obstinada é soltá-la. Como alguém se livra da intenção obstinada? Bem, isso é bem ardiloso, porque até o esforço para abrir mão da intencionalidade é, em si, um ato intencional.

Provavelmente, todo mundo já teve uma experiência de tentar soltar ou entregar, mas tentar e entregar são conceitos mutuamente excludentes. Enquanto estivermos tentando, não haverá entrega.

Assim, chega o momento em que toda técnica desaparece, em que nos faltará tudo que já aprendemos sobre como reajustar a consciência para um estado mais claro. Nossas técnicas não terão utilidade. Haverá um momento em que teremos de compreender que não há nada que "eu" possa fazer para soltar o nível existencial; não há nada que "eu" possa fazer para me entregar. No entanto, entregar e soltar é o que é pedido.

Nesse ponto, a coisa mais importante é admitir este fato: não há nada que o "eu" possa fazer. Admiti-lo plenamente, ser totalmente penetrado por essa consciência, é em si a entrega final; é em si a abertura do punho cerrado, a abertura do senso de *self* mais existencial, mais rudimentar.

Para que isso aconteça, é preciso ver que não há nenhuma maneira de fazê-lo. É preciso chegar ao fim da linha; você precisa chegar ao fim de sua corda. Só então a entrega espontânea pode acontecer. A única coisa que podemos fazer como seres humanos é entender que todo segurar é fútil; todo segurar é uma forma velada de rejeitar quem e o que realmente somos.

Ao soltar o segurar no nível das entranhas, pode parecer que você irá morrer. Mas *você* não morre; a ilusão de um *self* separado morre. Ainda assim, pode parecer que você vai morrer. Somente quando estiver disposto a morrer em nome da verdade é que esse aperto pode, real e autenticamente, se soltar.

Antes de prosseguir, quero acrescentar algo que possa se aplicar a algumas pessoas. Alguns indivíduos tiveram períodos extraordinariamente difíceis na vida – passaram por eventos traumáticos que podem ter causado um aperto ainda mais profundo nesse nível básico do ser. Para tais indivíduos, o aperto no nível das entranhas pode ser reforçado à medida que se aproximam de um estágio mais profundo de consciência. Se for esse o seu caso, é importante não forçar nada. Você pode precisar de ajuda especializada para lidar com esse aspecto do despertar; pode ser necessário encontrar algum meio para abordar a sensação mais profunda de trauma que estiver vivenciando antes de ser capaz de soltá-la. Se for esse o caso, recomendo que encontre alguém que verdadeiramente saiba como lidar com tais experiências, como encontrá-las de uma forma proveitosa. Você saberá que a abordagem que essa pessoa está oferecendo é valiosa porque ela vai começar a funcionar. Esse nível básico de apego vai começar a se soltar.

Obviamente, crescer é traumático para todos nós em algum nível. Mesmo que você tenha tido uma criação maravilhosa, os pais mais amorosos e o ambiente mais estimulante do mundo, não há crescimento sem que se experimente algum nível de trauma. A vida em si é traumática, em certo sentido; é traumática para um senso de *self* separado. A vida em si é uma ameaça para o senso de um *self* separado. Não há como escapar disso.

Despertar no nível das entranhas exige encarar e liberar nosso mais profundo medo existencial. Também exige encarar e liberar o que chamo de *vontade pessoal*, ou a parte de nós que diz "Isto é o que quero e do jeito que quero que seja". No final, a vontade pessoal é uma ilusão, por isso é tão frustrante quando tentamos usá-la para controlar e determinar os acontecimentos. Mas, ilusão ou não, isso precisa ser encarado e trabalhado. Essa tarefa pede a entrega mais profunda, a devoção mais profunda e sinceridade para com a verdade em si.

A verdadeira percepção, a iluminação verdadeira, surge de uma completa abdicação da vontade pessoal – um soltar total. É claro, com frequência isso gera medo em nosso senso de *self* ilusório, que só pode interpretar o abrir mão da vontade pessoal como traumático. Temremos que o soltar vá nos expor ao perigo. Achamos que se soltarmos nossa vontade pessoal, jamais obteremos o que queremos, o mundo jamais será do jeito que queremos que seja, e nada jamais irá acontecer do jeito que queremos que aconteça.

O que finalmente vemos é que essas conclusões são em si apenas pensamentos. Na verdade, não existe algo como uma vontade pessoal, mas até enxergarmos isso, a experiência da obstinação é algo em que devemos nos engajar.

É onde começamos a encontrar a sabedoria de estar desiludido. Quando nos sentimos desiludidos com algo, isso significa que estamos chegando ao fim de nossa obstinação. A transformação acontece somente quando chegamos ao fim de nossa obstinação.

Quem foi viciado em drogas ou álcool e se recuperou sabe que um componente muito importante na recuperação é chegar ao fim de sua vontade pessoal. Você compreende que não pode mudar seu vício por meio da obstinação; sua vontade não é assim tão forte, e você não pode fazer isso sozinho. Quando um viciado "sai do fundo do poço", o que isso realmente significa é que sua vontade pessoal foi esgotada. E quando nossa vontade pessoal é esgotada, toda uma nova força passa a percorrer nosso sistema. É a força do Espírito, e ela pode agora tornar-se operacional, porque não a estamos mais evitando ao nos agarrar à nossa vontade pessoal.

Todos nós, em nosso próprio processo de despertar, iremos visitar a limitação de nossa vontade pessoal. A maioria de nós irá visitá-la em vários momentos, em níveis mais e mais profundos, até que ela seja totalmente extinta.

A perda da vontade pessoal não é uma perda, em absoluto. Não é como se nos tornássemos o capacho da humanidade, sem saber o que fazer ou como fazê-lo. Ao contrário. Ao abrir mão da ilusão da vontade pessoal, um estado de consciência totalmente diferente nasce em nós; acontece um renascimento. É quase como se uma ressurreição acontecesse vinda das profundezas de nós. É muito difícil explicar essa ressurreição, como tantas coisas na espiritualidade, mas em essência começamos a ser movidos pela completude e totalidade da própria vida.

A representação desse tipo de movimento é muito vívida na tradição taoista, que foca a expressão do Tao, ou da verdade, por meio de nós. Ao ler o *Tao Te Ching* ou olhar para alguns dos ensinamentos taoistas, você começa a sentir como a obstinação é substituída por um senso de fluxo.

Quando você deixa o banco do motorista, vê que a vida pode dirigir a si mesma, que de fato a vida *sempre* dirige a si mesma. Quando você deixa o banco do motorista, a vida pode dirigir a si mesma bem mais facilmente – pode fluir de formas que você jamais imaginou. A vida torna-se quase mágica. A ilusão do "eu" não está mais no caminho. A vida começa a fluir, e você nunca sabe para onde ela vai levá-lo.

Quando seu senso de vontade pessoal diminui, as pessoas frequentemente me dizem: "Não sei mais como tomar uma decisão". Isso porque elas estão operando cada vez menos a partir de um ponto de vista pessoal. Existe um novo modo de operar, e realmente não tem a ver com tomar esta ou aquela decisão, com a decisão certa ou errada. É mais como navegar por uma correnteza. Você sente para onde os acontecimentos estão se movendo, e sente qual a coisa certa a fazer. É como um rio que sabe como contornar uma rocha – à esquerda ou à direita. É uma sensação de saber intuitiva e inata.

Esse tipo de fluxo está sempre disponível para nós, mas a maioria de nós está muito perdida nas complexidades de nosso pensar para sentir que existe um fluxo natural e simples na vida. Mas sob a confusão do pensamento e da emoção, e sob a pressão da vontade pessoal, há realmente um fluxo. Existe um movimento simples da vida.

Uma das minhas definições favoritas de iluminação é a de um padre jesuíta chamado Anthony de Mello, que faleceu há alguns anos. Alguém pediu a ele para definir sua experiência de iluminação. Ele disse: "Iluminação é a cooperação absoluta com o inevitável". Eu adoro isso, porque define a iluminação não só como uma percepção, mas como uma atividade. Iluminação é quando tudo dentro de nós está em cooperação com o fluxo da própria vida, com o inevitável.

Quando não estamos tão ambivalentes e divididos internamente, temos um *feeling* para o inevitável – para onde a vida está se movendo, em que direção ela está seguindo. Não nos perguntamos mais "Este é o caminho certo? Como sei se este é o caminho certo ou o errado?". Esse tipo de pergunta, na verdade, distorce a nossa percepção. Tem algo muito mais sutil acontecendo: é o fluxo da própria vida.

À medida que soltamos nossa obstinação – à medida que enfrentamos o medo nas entranhas e descobrimos a disposição sincera para dizer sim ao que for que tenhamos medo –, tudo de que falo torna-se disponível para nós. Quando dizemos um sim simples e sincero à vida, um sim à morte, um sim à dissolução do próprio ego, não temos mais de lutar. Isso se torna um novo caminho de navegação pela vida. O fluxo é o que nos faz navegar pela vida – não conceitos e ideias, não o que deveríamos ou não fazer, não o que é certo ou errado. Com o tempo, o que passamos a ver é que o fluxo é sempre maravilhoso. É a expressão da unidade, direciona nossa existência de maneiras que são curadoras e amorosas, e une as coisas de formas tais que não podemos imaginar.

CAPÍTULO DEZ

Esforço ou graça?

Com frequência as pessoas me perguntam quanto do processo de despertar é graça e quanto dele exige certa diligência ou esforço conscientes.

Para ser honesto, é muito difícil responder a esse tipo de pergunta. Nas escolas radicais da não dualidade, muitos diriam que tudo depende da graça, e que não há lugar para o esforço. Essas pessoas diriam: "Radicalmente, radicalmente, solte; radicalmente deixe tudo nas mãos da graça, porque não existe o executor separado; existe somente a vontade de Deus, e tudo é inseparável da vontade de Deus; portanto, essencialmente tudo é graça".

Obviamente existem outras escolas e abordagens que seriam muito mais centradas no esforço. Essas escolas diriam que é preciso se esforçar para transcender as próprias ilusões; é preciso muito esforço; é preciso ter muita disciplina espiritual; é preciso ter disposição para realmente olhar e questionar.

Essas duas visões, com frequência, negam uma a outra. O tipo de ensinamentos que diz que em geral é preciso muito esforço deixa pouco espaço para a espontaneidade e a naturalidade. O tipo de ensinamentos que diz que tudo é a vontade de Deus – que você não tem espaço para brincar e, portanto, deveria também simplesmente relaxar e permitir que tudo aconteça – pode fixar-se em um ponto de vista absoluto que normalmente negligencia uma visão maior. Uma das coisas que compreendi há muito tempo é que a verdade nunca está em afirmações polarizadas ou formulações dualísticas. Decerto minha experiência da natureza essencial da realidade é algo que não pode ser expressado ou formulado de forma dualística; está além dos pontos de vista dualísticos.

Então, quando as pessoas me perguntam se precisam fazer algum esforço ou não, se tudo depende da graça ou se exige algum tipo de atenção, o indicador mais útil que posso oferecer é olhar para dentro da resposta. Se for realmente honesto consigo, saberá, internamente, se é necessário investigar uma fixação na mente, no corpo ou nas entranhas; saberá quando for chamado a se disciplinar e a olhar de perto para alguma coisa. E se precisar se esforçar para olhar essa coisa, que assim seja. Faça o esforço para olhá-la, para investigá-la e descortiná-la.

Novamente, todas as nossas fixações originam-se no nível das ideias. Um dos pontos de entrada é olhar para o que você acredita, que pensamento específico o está levando a perceber a separatividade ou a entrar na divisão emocional. Esta é a disciplina, o esforço que é parte do processo de despertar: a disposição e a coragem de questionar. Algumas vezes é necessário ir além de uma espécie de preguiça ou ociosidade internas e nos desafiar a olhar para algo com clareza.

Normalmente digo aos meus alunos que é necessário ter coragem para questionar, o que requer verdadeira energia. É preciso coragem para olhar algo de forma realmente profunda. É preciso foco e atenção para olhar para seus padrões subjacentes – as estruturas de crenças subjacentes de uma fixação mental, física ou emocional. Se somos sinceros e honestos conosco, existe um sentimento intuitivo sobre o que estamos evitando. Se pudermos encontrar a capacidade de sermos honestos, vamos começar a sentir em nós quando formos chamados a nos esforçar.

Se ouvirmos profundamente, também sentiremos quando é tempo de soltar, de deixar a graça fazer o que só ela pode fazer. Saberemos quando é tempo para abrir e soltar qualquer montante de esforço ou luta, o que pode incluir soltar a investigação ou o questionamento. Chega a hora quando você sabe que fez tudo que podia fazer, que realizou seu objetivo e precisa soltar e permitir que algo diferente de seu sentido ilusório de *eu* assuma.

Não existe uma prescrição que eu possa dar sobre quando fazer uma coisa e quando fazer outra – é uma questão de sensibilidade, uma questão de ser honesto consigo mesmo. Às vezes as pessoas me perguntam se deveriam meditar ou não. Elas questionam: "Algumas pessoas dizem que eu não deveria meditar porque isso tem mais a ver com autobusca. Outras dizem que eu deveria meditar porque se eu não fizer isso, posso nunca despertar. O que você acha?".

Para essas pessoas eu respondo: "Bem, me diga: você é chamado a meditar? Não se trata de dever ou não dever; não é nem uma questão de saber se é sua mente ou seu ego fazendo a pergunta. O que é mais profundo do que isso? O que está por debaixo disso? O que você realmente sabe? O que você realmente sabe – quer você queira saber ou não?".

Essas são as perguntas importantes.

Acredito que uma das principais tarefas do professor é ajudar os alunos a se conectar com seu próprio senso intuitivo e natural de direção – "o professor interno", como às vezes é chamado. Estou bem consciente de que muitas pessoas têm pouca percepção desse professor interno. Existem pessoas tão conflituosas que para elas é quase impossível encontrá-lo. Nesse caso, um professor externo pode ser necessário para dar direção, para ajudá-las a ver para onde precisam ir e para o que precisam olhar a fim de encontrar esse sentido interno de guiança.

Inúmeras pessoas abdicam da autorresponsabilidade. Inúmeras pessoas querem que alguém lhes diga o que fazer em termos de espiritualidade. Querem que o professor lhes diga "Faça isto ou não faça isto. Medite muito ou medite pouco". Se estivermos aprisionados nesse hábito, podemos permanecer em uma espécie de infância espiritual. Em certo momento, precisamos crescer; precisamos olhar para dentro de nós mesmos, para nossa guiança interna. Existem coisas que a maioria dos seres humanos sabe; eles simplesmente não querem saber. Eles sabem lá no fundo se certas coisas em sua vida estão funcionando ou não; que certas partes de sua vida são funcionais e outras, disfuncionais. Mas, às vezes, como seres humanos, não queremos saber o que não é conveniente. Então fingimos não saber.

O mais importante é sair do fingimento. Existe um tempo e um lugar para tudo. Existe um tempo para se esforçar e ser disciplinado. Existe um tempo para soltar e compreender que você não pode fazer isso sozinho, que depende da graça, que o esforço, a luta e o empenho não têm lugar.

Mas compreenda uma coisa: não importa qual o seu caminho – se é um caminho progressivo ou um caminho direto, se é devocional ou não –, a trajetória de nossa vida espiritual e todo o despertar espiritual ruma à entrega. Essencialmente, esse é o nome do jogo espiritual. Tudo que fazemos espiritualmente está nos conduzindo a um estado espontâneo de entrega – a um soltar. Tudo conduz a isso, não importa o caminho, não importa a prática. Quando souber disso, você irá notar que cada passo ao longo do caminho é a próxima oportunidade para a entrega. Pode ser necessário esforço para chegar lá; pode ser necessário esforço para alcançar o ponto em que esteja disposto a render-se à graça, mas, no final, toda a espiritualidade se resume em soltar a ilusão do *self* separado – abrir mão da maneira como achamos que o mundo é e da forma como pensamos que ele deveria ser.

Precisamos da disposição para perder nosso mundo. Essa disposição é o abandono; essa disposição é o soltar. Cada um de nós descobre o que esse soltar significa para si, do que precisamos abrir mão. Se é fácil ou difícil, não tem a menor importância. No final, o importante é soltar.

CAPÍTULO ONZE

O ESTADO NATURAL

Frequentemente as pessoas me perguntam para onde o despertar nos conduz. Onde tudo isso vai dar? É muito difícil responder a essa pergunta, pois qualquer coisa que eu diga pode se transformar em um objetivo na mente. Objetivos na mente são, é claro, grandes obstáculos para nos tornarmos totalmente conscientes e totalmente despertos. No entanto, há realmente uma trajetória para o despertar; há um amadurecimento do despertar para o que poderia ser chamado de iluminação. É muito difícil dizer o que é iluminação. A iluminação não é muito diferente do despertar, mas é o amadurecimento do despertar; da mesma forma que amadurecemos da criança para o ser humano adulto, para o ser humano idoso e sabe-se lá no que além disso. É bem difícil expressar a experiência e a manifestação maduras do despertar, mas de algum modo é necessário que sejam expressas. Ao menos como professor eu tento expressá-las; e tento falhar bastante em minha expressão.

Quanto mais profundamente nos movemos rumo à direta experiência do ser, do não nascido, do imortal e do incriado que somos, mais começamos a nos mover para um verdadeiro senso de não dualidade. Por não dualidade quero dizer viver além do relativo e do absoluto. Em certo sentido, nossas experiências nos abrem até mesmo para além da percepção da unidade, até mesmo para além da experiência de Unidade. Compreendemos o núcleo de nós mesmos, a essência de nós mesmos, como algo muito mais próximo ao potencial puro. Compreendemos a nós mesmos como potencial puro, antes de esse potencial se tornar qualquer coisa – antes de se tornar o Uno, antes de se tornar muitos, antes de se tornar isso ou aquilo.

O amadurecimento do despertar é esse profundo retorno à nossa essência, à simplicidade do que somos, que é anterior e além de ser e não ser. É anterior e além de existir e não existir. É onde há um desaparecimento, digamos assim, onde nossa mente não mais se fixa em qualquer nível de experiência. Nossa mente não está fixa em nenhuma expressão particular. A tendência a fixar foi liberada.

Esse não é um estado místico. Não é um estado de imensidão ou de particularidade. É um estado de naturalidade e tranquilidade. No nível humano, é vivenciado como profunda calma, profunda naturalidade e profunda simplicidade.

Em outro nível, é um sentido inegável de que há um certo senso de finalização, não importa como tenha sido a jornada. Como disse um antigo mestre zen, é como um trabalho bem-feito. No final do dia, você simplesmente volta para casa. Em certo momento de sua vida espiritual, é como se tudo fosse espontaneamente eliminado. É difícil compreender isso até que comece a acontecer com você. A própria espiritualidade é eliminada. A liberdade é eliminada. Para nós, é preciso sermos livres de nossa necessidade de liberdade, estar iluminados de nossa necessidade de iluminação.

Em certo ponto, isso começa a acontecer natural e espontaneamente. Perdemos até mesmo o que chamamos de mundo espiritual, pois toda ideia de espiritualidade é em si uma construção. Talvez seja uma fabricação necessária em certo momento, mas, de qualquer forma, é uma fabricação. Em certo momento, todas as fabricações desaparecem. Isso não significa que elas não tenham utilidade. Significa apenas que vemos que tudo é transparente.

Como diz Buda, vemos que tudo é efêmero. Tudo é passageiro; tudo tem a natureza de um sonho. Passamos a compreender que até nossas maiores percepções, nossos maiores momentos de "aha" são, na verdade, sonhos dentro da infinitude do imortal. É quase como se percebêssemos que até nosso próprio grande despertar foi apenas outro sonho que jamais aconteceu. E ainda assim, há um senso de realidade resplandecente; há uma presença luminosa em tudo.

Como eu disse, é difícil descrever esse estado de simplicidade e naturalidade. Existe um perigo em descrevê-lo, como mencionei, porque a sua descrição pode se transformar em outra imagem, em outro objetivo. Porém, mais cedo ou mais tarde esse estado totalmente natural de ser vai despontar. Quando isso acontece, é como se alguém tivesse "ido além". Esse estado foi descrito em uma das escrituras budistas como "foi, foi, foi além, foi completamente". Nosso próprio despertar nos leva além de tudo. Leva-nos até mesmo além do próprio despertar, sem mencionar os vários tipos de espiritualidade ou religião ou seja o que for que tenha ajudado a impulsionar a consciência além de sua fixação e identificação com a forma.

Podemos pressupor que quando a consciência for longe o bastante para se libertar da força gravitacional do estado de sonho, tal pessoa jamais retornará. Poder-se-ia imaginar tal pessoa desaparecendo em algum tipo de névoa transcendente. Mas não é isso que acaba acontecendo. Quando ocorre um soltar total, uma total devoção à verdade e à verdade por amor a si mesma, então descobrimos que aquilo de que abrimos mão – o sonho dualístico, quem pensávamos ser, a vida que pensávamos real – nos chama em uma nova forma. De um modo simples e comum, nós nos vemos de volta à nossa vida. Precisamos deixá-la para retornar de uma nova maneira. Como disse Jesus, precisamos estar "no mundo sem ser do mundo", o que significa estar no mundo sem ser aprisionado pelo mundo. Estamos dispostos a encarnar, mas é uma encarnação consciente, e é uma encarnação desejada.

Quando atravessamos esse território, que é realmente o atravessar de um sonho, então podemos verdadeiramente habitar a forma – a forma de nosso próprio corpo, a forma da própria vida. A consciência não retorna à identificação. A jornada do despertar não é apenas a jornada do despertar, libertando-se do *self* e percebendo que a vida como a conhecíamos era um sonho. É também uma reentrada, um retorno do alto da montanha, por assim dizer. Enquanto permanecermos no topo do despertar, no lugar transcendente do absoluto, onde somos eternamente não nascidos, infinitamente intocados e para sempre imortais, há uma incompletude em nossa percepção.

Surpreendentemente, após a reentrada, a vida torna-se bem simples e comum. Não mais nos sentimos motivados a ter momentos extraordinários, a ter experiências transcendentes. Sentar à mesa pela manhã e tomar uma xícara de chá é perfeitamente adequado. O simples fato de beber uma xícara de chá é experienciado como uma expressão completa da realidade suprema. A própria xícara é uma expressão plena de tudo que percebemos. Ao caminhar pelo corredor, cada passo é uma expressão completa da mais profunda percepção. Constituir uma família, lidar com crianças, ir trabalhar, sair de férias – tudo isso é uma expressão verdadeira daquilo que não pode ser expressado.

Em certo sentido, a iluminação é morrer no comum, ou em uma normalidade extraordinária. Começamos a compreender que o comum é extraordinário. É quase como descobrir um segredo oculto – que durante todo tempo estávamos na terra prometida, o tempo todo estávamos no reino dos céus. Desde o início, havia somente nirvana, como diria Buda. Mas estávamos percebendo as coisas equivocadamente. Ao acreditar nas imagens da mente, ao contrair devido ao medo, à hesitação e à dúvida, percebemos erroneamente onde estávamos. Não percebemos que estávamos no céu; não percebemos que estávamos na terra prometida. Não percebemos que o nirvana é bem aqui, bem agora, exatamente onde estamos.

Esse tipo de visão, essa percepção, não faz sentido para a mente convencional. A mente convencional diria: "Bem, tudo isso soa maravilhoso, mas ainda há pessoas morrendo de fome; as crianças ainda estão famintas. Existe abuso, violência, ódio, ignorância e ganância". Certamente, existe a experiência de tudo isso. É indiscutível. Mas, simultaneamente, vemos que toda essa divisão é o produto de mentes humanas sonhadoras. Isso não significa que estamos colocando de lado ou evitando tudo isso; ao contrário. O que vemos é a perfeição subjacente da vida. É a partir dessa base de ver, vivenciar e literalmente conhecer a perfeição subjacente da vida que somos movidos por uma força inteiramente diferente. Não somos mais puxados ou empurrados; não mais sentimos que precisamos obter algo. Não mais sentimos como se precisássemos ser conhecidos ou reconhecidos ou validados, ou amados ou odiados ou queridos ou depreciados. Esses são apenas estados de consciência dentro da mente sonhadora. Uma vez que tenhamos reconciliado todos esses opostos, e eles tenham sido harmonizados em nosso sistema, algo mais nos move na vida. É algo extraordinariamente simples. Essa força, essa energia que nos move é, ao mesmo tempo, a substância de nosso próprio ser, de nosso próprio *self*.

Essa energia é indivisível. É para sempre completamente transcendente e para sempre completamente bem aqui, bem agora, neste momento. Jamais existirá a necessidade de um momento diferente, melhor. Quando enxergamos este momento como verdadeiramente é, vemos algo extraordinário. Não sentimos a necessidade de transformar este momento em nada mais do que é, pois é extraordinário como é. Quando percebemos isso, curamos a cisão ilusória dentro de nós, e começamos a curar a divisão ilusória dentro da consciência maior da humanidade.

Nossa maior contribuição para a humanidade é nosso despertar. É rigorosamente deixar o estado de consciência em que a massa da humanidade se encontra e descobrir a verdade de nosso ser, que é a verdade de todos os seres. Quando fazemos isso, retornamos como um presente, como um recém-nascido. Estamos, de certa forma, renascidos.

Na tradição cristã há a história da transfiguração de Cristo – literalmente, uma transformação. Não foi apenas uma percepção, mas uma transformação – um novo nascimento que teve impacto e influência inacreditáveis. Às vezes, ao tentar ajudar no nível externo, podemos não perceber que a maior ajuda que podemos ofertar é nosso próprio despertar. Isso não significa que devamos evitar fazer o que pudermos no nível externo – oferecer ajuda, alimentar os famintos, cuidar dos pobres e doentes. Não significa que nada disso deva ser evitado ou não seja útil. Mas, no final, o que passamos a compreender é que nossa maior contribuição é curar as divisões ilusórias dentro de nós. Esse é o presente maior que podemos dar à humanidade; é isso que vai mudar a humanidade. A humanidade não vai mudar por causa de algo que é imposto de fora, por causa de ideias nobres ou de sistemas grandiosos. A verdadeira transformação sempre vem de dentro. Vem do despertar. Passamos a ver que o mundo exterior nada mais é do que a expressão do interno. O manifesto nada mais é do que a expressão do não manifesto.

Se como cultura, como espécie, continuamos a viver em um estado dividido de consciência, não importa o que mudemos no externo, vamos continuar a manifestar divisão. Mas cada um de nós que atingir o estado natural, simples, não dividido, estará contribuindo para todos os seres – sem tentar, sem receber crédito, sem nem mesmo saber que está contribuindo. Quando nos tornamos inteiros, não divididos em nossa própria consciência, tornamo-nos parte da manifestação da unidade. Passamos a saber que a iluminação é extraordinariamente maravilhosa e profunda, mas também muito simples.

A melhor definição de iluminação é simplesmente *o estado natural de ser*. Temos sido hipnotizados para crer que a percepção de divisão, medo e conflito é, na verdade, o estado natural da humanidade. Mas, em outro momento, quando estivermos mais conscientes, veremos que esse estado de divisão não é natural. Como disse anteriormente, é preciso uma quantidade tremenda de energia para manter a ilusão da divisão, pois esse não é o estado natural. Tal fato deveria ser óbvio, porque a divisão não parece natural. Pode parecer comum, pode parecer como se fosse uma coisa usual, você pode vê-la ao seu redor, mas quando sente esse mesmo conflito dentro de si, compreende que não parece natural. Parece algo dividido, conflituoso. O estado de consciência em que a grande maioria da humanidade se encontra não é natural. Não precisamos procurar por estados de consciência alterados; a humanidade já está em um estado alterado de consciência chamado *separação*. A separação é o supremo estado alterado de consciência.

Contrariamente ao entendimento popular, a iluminação não tem nada a ver com um estado alterado de consciência. Iluminação é um estado inalterado de consciência. É a pura consciência como realmente é, antes de se tornar algo, antes de ser alterada de alguma forma.

O reino dos céus é o estado natural de ser. Nirvana não é um objetivo ao qual nos agarramos; não é algo a que tentamos nos ater ou nos impor. Nirvana só é descoberto ao realizar a maneira totalmente natural e espontânea de ser. Só pode ser vivenciado ao realizar quem somos e o que somos, quando estamos simplesmente sendo de uma forma consciente.

Essa é a promessa do despertar. Não é apenas uma promessa pessoal para alguém, mas uma promessa para a própria consciência e, portanto, para todos os seres. É a promessa da não divisão, da unidade e do mundo que pode emergir disso. Nenhum de nós sabe o tipo de mundo que surgiria se toda a humanidade entrasse em um estado íntegro de consciência. Podemos imaginar um mundo assim, mas, em verdade, todos nós devemos admitir que esse mundo é desconhecido. Não pode existir nenhuma imagem criada sobre o mundo. Descobriremos o que este mundo poderia ser à medida que ele se tornar realidade, quando ele se tornar realidade. Mas esse estado natural de despertar, essa permissão para literalmente desaparecermos na simplicidade absoluta, não parece ser grande coisa. É apenas natural. Não é melhor ou mais elevado do que qualquer coisa ou alguém. É simplesmente o estado natural de ser. É totalmente democrático. É a herança de todos.

CAPÍTULO DOZE

A HISTÓRIA DO CASAMENTO

Quero finalizar contando uma história. Existem certos momentos na vida que parecem corporificar o que compreendemos. Para mim, só houve um momento assim – é quase como se para mim toda a jornada espiritual fosse sintetizada nessa experiência específica. Aconteceu em um casamento. Era uma grande celebração, em um ginásio. A cerimônia já havia sido realizada, e todos estavam sentados para o jantar. Estávamos todos comendo juntos, conversando e nos divertindo muito. A energia era realmente maravilhosa e calorosa.

Tendo a ser a pessoa que come mais rapidamente que conheço, e, como de costume, bem rapidamente fui em direção ao buffet para me servir pela segunda vez. Fiz meu prato com todo tipo de coisas deliciosas, virei-me e olhei para o ginásio repleto de pessoas. Sempre achei que os casamentos fossem fotos instantâneas da humanidade. Vi os noivos, e eles estavam tendo um momento maravilhoso. Vi as crianças correndo e brincando. Vi os pais ansiosos, tentando controlar seus filhos. Vi as pessoas bem idosas. Vi uma síntese de toda a condição humana.

Naquele momento, subitamente compreendi que eu jamais veria a vida como a maioria dos seres humanos a vê. Foi como se naquele instante eu sentisse que alguma coisa dentro de mim estivesse deixando completamente a condição humana. Ver as coisas a partir de uma perspectiva convencional tinha acabado para mim; terminara. Esse entendimento foi acompanhado de certa nostalgia. Havia uma parte em mim que pensava: "Nem tudo é sofrimento; não é de todo ruim. Existem momentos maravilhosos. Aqui estou eu neste casamento, e há todas essas pessoas incríveis interagindo de formas diferentes". Mas naquele instante vi que a maneira como a maioria dos seres humanos via o mundo não era mais a forma como eu o via. E eu sabia que jamais o veria novamente daquela maneira. Seja o que fosse que tivesse acontecido, não haveria retorno.

Mesmo que eu quisesse retornar e ver as coisas como costumava vê-las, não poderia fazê-lo. De alguma forma uma ponte fora cruzada e, ao cruzá-la, fora queimada. Houve somente aquele momento de hesitação, aquele momento de nostalgia, e fechei os olhos e me permiti sentir aquilo. Quando os abri, a nostalgia tinha passado.

De repente, lá estava eu, de pé, segurando meu prato de comida naquele casamento, e houve a percepção de que, embora eu não visse as coisas da forma como a maioria das pessoas ao meu redor via, *era o que era*. Essa é a vida, e ela é absolutamente maravilhosa, surpreendentemente bela. A única coisa que me restava fazer era caminhar de volta ao mundo. Então, com meu prato na mão, caminhei de volta para a mesma visão para a qual acabara de olhar. E fiz o que todos os outros estavam fazendo, comecei a conversar com esta e com aquela pessoa. Foi um momento de reconhecer o que significava deixar a condição humana, a qual vê as coisas a partir da separatividade, e simultaneamente reentrar na condição humana, caminhar de volta à lida – ver que a vida, assim como ela é, é uma manifestação absolutamente surpreendente de realidade mais profunda.

Daquele momento em diante, a vida como ela é, exatamente como é, sempre pareceu ligeiramente mágica, ligeiramente surpreendente. Mesmo se ela é insana, mesmo quando os seres humanos fazem coisas uns aos outros que são literalmente absurdas, ainda assim sempre houve e sempre haverá a sensação de que este é o único lugar para se estar. Esta é na verdade a terra prometida, do jeito que é, se apenas abrirmos nossos olhos e vê-la.

CAPÍTULO TREZE

Uma entrevista com Adyashanti

Os ensinamentos incluídos em O despertar autêntico *foram gravados em San Jose, Califórnia, durante três dias, em agosto de 2007. Depois que Adya proferiu essa série de palestras, a editora-chefe de Sounds True, Tami Simon, teve a chance de entrevistá-lo e fazer perguntas relativas a tais ensinamentos. Abaixo, a conversa entre ambos.*

TAMI SIMON: Vamos retornar à sua metáfora de o despertar ser comparado a um foguete espacial pronto para decolar. Como as pessoas sabem se seu foguete espacial realmente decolou? Eu poderia imaginar que algumas pessoas se iludam a esse respeito. Talvez tenham lido vários livros sobre o despertar espiritual e concluam em sua mente que o despertar aconteceu, embora, na realidade, elas estejam apenas faiscando no solo. Como sabemos com certeza que decolamos?

ADYASHANTI: Não é fácil responder a essa pergunta. A única forma de respondê-la é reiterar qual é a natureza do despertar. O momento de despertar é muito similar a quando acordamos de um sonho à noite. Você sente que despertou de um mundo para outro, de um contexto para outro totalmente diferente. Em termos de sentimento, esse é o sentimento de despertar. Todo aquele *self* separado que você pensou ser real – e mesmo o mundo que você pensou ser objetivo, ou outro – subitamente parece não ser tão real assim.

Não estou dizendo que é ou não um sonho; estou dizendo que é quase como um sonho. Após o despertar, a experiência é que a vida é como um sonho que está acontecendo dentro do que você é – dentro de um vasto e infinito espaço. Despertar não tem a ver com experienciar o espaço infinito ou sentir-se espaçoso, expandido, bem-aventurado ou o que for. Esses sentimentos podem ser subprodutos do despertar, mas não são o despertar propriamente dito. O despertar, para além de seus subprodutos, é uma mudança de perspectiva. Tudo que pensamos ser real é visto como não sendo nada real; é mais como um sonho que está acontecendo dentro da infinita expansão de vazio. O que é verdadeiramente real é a infinita expansão de vazio. É como se, quando você sonha à noite, seu sonho não tivesse realidade; é sua mente sonhando seu sonho que, na verdade, tem a realidade – falando relativamente.

TS: Ao descrever sua própria história de vida, você disse que o foguete espacial de seu ser decolou em uma data e tempo específicos – quando você tinha 25 anos. Você acha possível que para algumas pessoas o foguete decole ao longo de alguns anos? Ou seja, que não haja um momento específico para isso acontecer, mas, ao contrário, que seja mais como um amanhecer gradual, em que o foguete vai se desgarrando aos poucos da Terra.

ADYA: Já vi isso também. Já encontrei pessoas para quem o despertar aconteceu quase como se em retrospectiva, como se se infiltrasse nelas. A transição pode não ter sido marcada por momentos distintos, óbvios. É quase como se elas tivessem se esgueirado do sonho ou se infiltrado no espaço sideral e, então, em algum momento, houve um reconhecimento: "Ah, quando isso aconteceu?". Elas não conseguem apontar para nenhum momento específico de mudança, mas reconhecem em certo ponto que uma mudança real, total, aconteceu. Ela pode se infiltrar em você; pode acontecer dessa forma também.

TS: Para não matar a metáfora aqui, é possível dizer que o foguete precisa de um tipo específico de combustível? E se assim for, que tipo de combustível?

ADYA: Gostaria de poder responder. Não sei se é realmente possível dizer qual é o combustível, porque não está limitado a algo pessoal. O despertar não acontece somente para quem o está buscando sinceramente. Para algumas pessoas, acontece completamente do nada. Encontrei pessoas despertas que não estavam em um caminho espiritual. De fato, encontrei pessoas que negavam a espiritualidade, e então, *boom* – do nada, o despertar as atinge. Não poderíamos chamar tais pessoas de sinceras, e não poderíamos dizer que elas estavam buscando a realização espiritual ou mesmo que tivessem um anseio óbvio por ela. É claro, a grande maioria das pessoas que têm uma experiência de despertar sentiu alguma energia, algum anseio para despertar para um senso de realidade mais profundo. Isso é verdade, mas o problema é que toda vez que falamos que "isto" ou "aquilo" é necessário, sempre haverá exemplos em contrário. O despertar é um mistério. Não há uma causa e um efeito diretos, realmente. Seria bom se houvesse, mas não existe causa e efeito diretos.

TS: Ao descrever o foguete espacial, você usa a metáfora para falar sobre despertar não permanente *versus* despertar permanente, com a ideia de que o despertar permanente significa que você está continuamente fora do campo gravitacional do estado de sonho, fora de suas tendências habituais para constelar como um *self* separado. Você está fora do campo gravitacional?

ADYA: Sempre hesito em responder a perguntas como essa, mas vou tentar respondê-la. Não sinto que posso dizer "Sim, estou fora da força gravitacional". Não é realmente assim. É nesse momento que a metáfora se quebra. Todas essas metáforas, todas essas maneiras de explicar as coisas são simplesmente isto: metáforas, e definitivamente têm certas limitações.
Diria que minha experiência é que eu não mais acredito no próximo pensamento que tenho. Não sou capaz de realmente acreditar em um pensamento que surge. Não tenho nenhum controle sobre que pensamentos emergem, mas não posso acreditar que eles sejam reais ou verdadeiros ou significativos. E porque nenhum pensamento pode ser tomado como real, verdadeiro ou significativo, isso em si tem um impacto experiencial; é a experiência da liberdade.
Se alguém quiser chamar isso de "estar além da força gravitacional do estado de sonho", tudo bem, mas sempre hesito em reivindicar alguma coisa. Sempre lembro às pessoas com quem converso que tudo o que sei é o agora. Não sei sobre o amanhã. Amanhã poderia chegar um pensamento que me capturasse, me prendesse como velcro, me puxasse para a separação e para a ilusão. Não sci... talvez aconteça, talvez não. Não tenho como saber. Tudo o que sei é o agora.

É por isso que hesito em afirmar "Ah, sim, atingi determinado objetivo ou cruzei uma linha de chegada", porque não vejo dessa maneira. Parece ser assim quando estou ensinando, mas é a limitação do discurso. O que realmente sei é que não sei. O que realmente sei é que não existem garantias. Não sei o que pode acontecer amanhã, ou no próximo segundo, se estarei iludido em um instante a partir de agora. O que realmente sei é que possivelmente jamais poderei saber isso.

TS: Tudo bem, aceito que você não saiba o que pode acontecer à frente em termos de quando um pensamento do tipo velcro possa ocorrer, mas quando foi a última vez que você teve um pensamento velcro, olhando para trás?

ADYA: Falando claramente, não estou dizendo que eu não possa ter um pensamento do tipo velcro ou que não vivencio pensamentos velcro. É possível surgir um pensamento que possa causar um instante de apego, que possa causar uma experiência momentânea de certa separatividade. Não estou dizendo que isso não possa acontecer ou que não aconteça. O que estou dizendo é que, quando realmente acontece, a lacuna entre o acontecer e o perceber é bem pequena. Não sei se existe um estado em que pensamentos "pegajosos" ou certos momentos de apego jamais surjam no sistema humano. Parece-me que ter um corpo e uma mente humanos é passar por esses tipos de experiência ocasionalmente. A diferença é que, em certo ponto, a lacuna entre o aparecimento de um pensamento pegajoso e seu desaparecimento se torna tão estreita que o emergir e o desaparecer são quase instantâneos. Portanto, eu não diria que me encontro em um estado em que pensamentos velcro jamais apareçam. Simplesmente a lacuna fica tão pequena que, em certo ponto, você quase não a vê. Creio que existem ideias de que a iluminação tem a ver com alcançar certo lugar onde nada de desconfortável jamais aconteça, onde nenhum pensamento ilusório jamais passe por sua consciência. Essas ideias sobre iluminação são ilusórias; não parece funcionar dessa forma.

Além do mais, isso não importa, de fato. Quando essa lacuna é tão estreita que pode ser percebida num piscar de olhos, de repente isso também é parte da liberdade. Compreendemos que não importa se tivemos um pensamento, porque não ficamos presos por muito tempo. Isso é realmente parte da liberdade. Acho que o restante é vender a iluminação como algo que ela não é. Entendo que as pessoas podem ouvir o que digo e criar uma imagem do que é a percepção permanente. Mas não é isso que quero retratar. É mais como se a lacuna entre o pensamento divisivo e o acreditar no pensamento se tornasse quase inexistente.

TS: Estou curiosa sobre que tipos de situações são problemáticos e difíceis para você. Em nossas conversas, você compartilhou que pode ficar frustrado com seu computador quando, digamos, a internet ou a impressora não funcionam. O que você faz nesses momentos? Você faz alguma coisa para fechar a lacuna ou é automático?

ADYA: Bem, geralmente a frustração está aí, e é vivenciada. Eu a experiencio, mas não há nenhum pensamento crítico a respeito. Essa é a verdadeira chave. E não quero dizer que a frustração é descartada ou que não presto atenção nela, mas não existe um pensamento crítico. Normalmente, ela chega, é vivenciada, não há nenhum pensamento crítico a respeito e, então, ela passa. Não é levada a sério.

Não existe um padrão de pensamento secundário: "Ah, eu não devia ter ficado frustrado", ou "Por que me frustrei?", ou o que for. Os pensamentos estão envolvidos porque são eles que criam frustração, mas não são vistos como verdadeiros. Entender que não são verdadeiros dissipa a frustração.

No passado, o processo teria sido muito mais longo. A investigação teria sido mais intensa e sustentada, e eu realmente olharia para as coisas. Mas, como disse, essa lacuna se estreitou agora, então as coisas acontecem quase que automaticamente. Em certo sentido, é como ser um músico. Você pratica suas escalas musicais, e as pratica e as pratica e, então, em determinado momento, elas estão tão internalizadas que surgem quase sem nenhuma intenção consciente. Para mim, é isso que acontece com a investigação. Em certo ponto, simplesmente acontece, com pouca ou nenhuma intenção consciente.

TS: Frequentemente você fala de pensamentos e sentimentos como se fossem dois lados da mesma moeda. Não é possível ter sentimentos sem ter nenhum pensamento associado a eles? E os momentos de intensa admiração ou de apreciação de beleza, quando as lágrimas vertem espontaneamente? Em tais momentos, não é possível que não estejamos realmente pensando em alguma coisa, mas que algo simplesmente está jorrando no nível do sentimento? Ou você acredita que estamos pensando, talvez em um nível sutil, subliminar?

ADYA: Existe o que eu chamaria de sentimento *puro* ou emoção pura, como sabe qualquer pessoa que vivenciou um grande momento de beleza ou admiração. Existem percepções sensoriais puras, um sentimento que surge e que não é criado pelo pensamento. Acontece. No entanto, eu diria que a vasta maioria das emoções que a maioria das pessoas vivencia são duplicações do processo de pensar; são pensamentos transformados em emoção.

Mas existem emoções puras ou sentimentos puros que contornam o processo de pensar. É como esse seu instrumento sensorial, esse belo instrumento sensorial que chamamos de corpo, está interagindo com o ambiente, e essa é uma interação pura; não é uma interação virtual.

TS: Todo pensar é virtual?

ADYA: Todo pensar é virtual, claro.

TS: Mas se existem sentimentos que não são derivados do pensar, então talvez existam experiências intuitivas que também não se originem do pensar?

ADYA: O instinto visceral é apenas outra maneira de sentir o mundo. Ouvimos isso quando as pessoas dizem "tenho uma intuição". Sentir com as entranhas é um tipo de capacidade intuitiva; é uma forma instintiva de saber. Sentimos coisas por meio dessa parte do corpo: nossas entranhas são órgãos sensoriais intuitivos. É claro, podemos sentir coisas que são duplicações da mente – pensamentos temerosos, raivosos, conflitantes, contraditórios –, mas as entranhas reagem como órgãos sensoriais puros ao que está acontecendo.

Quando o pensamento não está reduzindo quem somos, as pessoas têm esse tipo de experiência intuitiva. Digamos que você caminhe até a beira de um penhasco, olhe para baixo e veja uma extensão enorme. Você pode sentir medo ao olhar para baixo, mas, se for sensível, poderá notar outra reação: a de que sua consciência pode, na verdade, preencher aquela vastidão. Quando olhamos para vastas extensões, normalmente inspiramos, certo? Na inspiração, estamos sentindo nossa consciência se abrir para aquele ambiente. Inspiramos em nossos pulmões, em nosso centro cardíaco, em nossas entranhas. Todo o nosso ser, todo o nosso corpo, está em sintonia com o ambiente. Esse tipo de abertura do coração – quando os pulmões suspiram "ahhhhh" enquanto a consciência expande – não está acontecendo porque estamos pensando, mas porque a consciência está interagindo com o ambiente. É isso que quero dizer com sensação pura ou sentimento puro. E, sim, isso também acontece por meio das sensações viscerais. É muito poderoso e muito, muito bonito.

É literalmente a experiência de intimidade. É nosso ser vivenciando a si próprio com uma intimidade incrível. Não estou dizendo que é errado comentar sobre isso, mas assim que dizemos alguma coisa – assim que nos viramos para falar com nosso amigo –, algo muda. Para a maioria das pessoas essa experiência acontece por uma fração de segundo, e então elas se viram para alguém e comentam: "Não é lindo?". E não é errado dizer isso. Digo isso a outras pessoas também, algumas vezes. Mas nesse momento, se você for sensível, notará que todo o seu ambiente interno começa a mudar, e você começa a vivenciar aquilo que acabou de dizer. Então, acaba entrando em uma experiência virtual. É ligeiramente diferente daquele momento de admiração, daquele momento em que todo o corpo está participando em percepção.

TS: Uma coisa é ter uma experiência de puro sentimento quando se está experienciando admiração e deslumbramento na natureza, mas é possível ter um sentimento puro quando se trata de uma emoção como a raiva? Você acha possível ter um sentimento como a raiva que não seja um pensamento duplicado?

ADYA: É claro, é claro. Essa ideia de que a iluminação tem a ver com pessoas com sorrisinhos tolos, enlevados, o tempo todo é simplesmente uma ilusão. Gosto de contrapor isso imaginando que estamos em uma igreja nos dias de hoje e alguém entra pela porta dos fundos, *perde a cabeça*, como fez Jesus, expulsando os vendilhões e berrando aos quatro ventos: "Como vocês ousam desonrar a casa de meu pai?". Quero dizer, Jesus teve um ímpeto sagrado, certo? Ele estava irritado. Não estava fingindo. Estava realmente transtornado e expressava seu descontentamento.

Mas alguém pode estar descontente a partir de um estado não dividido? Claro que sim. Toda emoção está disponível para nós. Estar desperto não significa que há menos emoções disponíveis para nós. A emoção é apenas um meio de a existência operar através de nós. Existe uma forma dividida de raiva, e existe uma forma não dividida de raiva.

TS: Bem, como eu seria capaz de distinguir isso dentro de mim, se sinto uma forma dividida ou não dividida de raiva?

ADYA: Se você se sentir dividida internamente.

TS: Se tudo em mim sente raiva, então é uma raiva não dividida?

ADYA: Creio que todos nós já passamos por uma experiência em que nos sentimos completamente enraivecidos, mas ainda parece ser um sentimento divisivo, conflitante. Tem um tipo de raiva que é... como eu poderia dizer... um bom trabalho. A tradição tibetana, por exemplo, tem certas representações de deidades furiosas, com espadas flamejantes e fogo saindo de seus cabelos e olhos, com olhares bem raivosos, cruéis e assustadores, mas há algo nessas representações que é diferente de quando você vivencia sua raiva comum, mediana e conflitante. É algo difícil de descrever, mas se você olhar para tais representações, o que se apresenta é um tipo diferente de raiva. Não é uma raiva que dilacera de uma maneira negativa; é uma raiva que dilacera de forma positiva. Posso não estar conseguindo expressar da melhor maneira, mas o que estou tentando comunicar é que mesmo a experiência de raiva pode vir de um lugar puro.

TS: Estou particularmente interessada em explorar esse tópico, porque sou alguém que estava acostumada a vivenciar uma gama bem estreita de emoções. Como venho crescendo como pessoa, tenho agora uma vasta, enorme gama de experiências emocionais disponíveis para mim, e isso é realmente interessante, rico e glorioso, de várias formas. Quando ouço você ensinar que a maioria das experiências são imagens duplicadas dos pensamentos, realmente quero entender que experiências emocionais são derivadas, baseadas em conceitos, e quais são puras. E como sei a diferença?

ADYA: Por favor, não me interprete mal. Não estou dizendo que as emoções virtuais não deveriam acontecer ou que são de algum modo errôneas ou secundárias. Por exemplo, posso pensar em minha esposa, Mukti. Posso visualizá-la em minha mente e posso sentir uma onda incrível, maravilhosa de amor. Sei que essa experiência emocional é virtual. Sei que a estou produzindo em minha mente; sei que a estou criando, literalmente, no pensamento. Isso não a torna errada. Mas se fosse equacionar essa experiência emocional de amor com o amor real, então estaria vivendo uma ilusão, talvez uma ilusão divina, porém, uma ilusão. Posso criar esse tipo de imagem em minha mente e, às vezes, faço isso; a imagem dela ou pensamentos sobre ela fluem pela minha mente, e existe uma onda maravilhosa no coração. A primeira coisa a ser compreendida é que o fato de uma experiência emocional derivar da mente não a torna ruim ou algo que não deva ser vivenciado.

Se olharmos cuidadosamente, veremos que a maior parte das emoções que os seres humanos experimentam provém daquilo que nós estamos dizendo a nós mesmos naquele momento. Isso não as torna ruins ou errôneas; é simplesmente um fato. Mesmo se olhamos para algo e comentamos a respeito disso, podemos ter uma reação emocional positiva. Mas se investigamos nossa experiência, com frequência compreendemos que o que estamos realmente vivenciando é um pensamento nos dizendo "isso é bonito" ou "isso é feio".

Como posso dizer se uma emoção é um sentimento puro ou deriva do pensamento? É preciso olhar para ver se a emoção procede de uma história, se tem imagens que a acompanham. Se vier acompanhada de imagens ou de uma história, então você sabe, "Ah, tudo bem, é algo que está sendo criado; estou, na verdade, vivenciando os pensamentos na minha mente". Tudo bem com isso; tudo bem fazer isso. É apenas que podemos nos iludir quando derivamos nosso senso de realidade disso.

TS: E a percepção pura no nível da mente? Existe alguma experiência da "mente desperta" em que a mente funcione não só como um fabricante de conceitos e abstrações, mas também como um órgão sensorial puro?

ADYA: No nível da mente há a percepção pura do infinito, ou do que os budistas chamam de *vazio* – a percepção da vasta, vasta, vasta amplidão. Ela é percebida não por meio da mente em termos de pensamento, mas poderíamos dizer que essa seção do corpo, a área da mente, encontra-se literalmente onde notamos a vastidão do infinito, a vastidão do espaço, a luz pura do ser, a quase ofuscante luz do ser. Isso é visto no nível da mente, não no nível do pensar. Perceber dessa maneira é uma capacidade diferente da de simplesmente pensar; é a mente como um instrumento sensório sentindo o infinito.

TS: Você mencionou que, em última instância, todos os caminhos espirituais nos levam para um estado de entrega total. Mas o que acontece se as partes de nós que não querem se entregar estão ocultas, quase enterradas em nossa psique? Conscientemente, poderíamos nos render a tudo, mas algumas partes de nós, em nosso inconsciente, ainda podem estar com o pé na embreagem. Como fazer para que essas partes ocultas se apresentem? Posso imaginar ouvir seus ensinamentos sobre entrega e pensamento, tudo bem, basicamente compreendendo isso. Sei o que significa estar de joelhos. Sei o que significa jogar-me no chão. Mas e as partes em mim que não vão se render? Elas não são óbvias para mim.

ADYA: Talvez não haja nada que você possa fazer sobre isso. Essa é a coisa que as pessoas mais evitam, certo? Dê-me algo; dê-me um ensinamento; dê-me alguma esperança. É claro, dentro de nós existem formas totalmente inconscientes de segurar – padrões de segurar a que não temos acesso. Talvez você não tenha acesso a eles, ponto-final. Fim da história. Isso é tudo.

Você terá acesso a eles no exato momento que tiver de ter acesso. Podemos não gostar disso. As pessoas podem não gostar de ouvir isso, mas vamos dar uma olhada na nossa vida, não em filosofias ou ensinamentos ou o que for que escolhamos nos contar, certo?

Pelo menos em minha vida, posso certamente constatar que em determinados momentos eu ainda não tinha certas capacidades. Elas simplesmente não estavam lá. Não tenho a menor ideia do que eu poderia ter feito para desenvolvê-las. Em certos momentos, sequer conseguiria ouvir alguém que me dissesse como obter tais capacidades.

Minha própria professora me dizia certas coisas centenas de vezes, literalmente, ao longo de anos. E só depois de uma década eu pensei: "Ah... agora compreendi. Agora entendi. Agora a ficha caiu". Como eu iria forçar isso dez anos atrás? Poderia ter forçado? Parece-me que não.

Esse pode não ser o ensinamento espiritual que você está buscando, mas tudo tem seu tempo; tudo tem seu lugar. O ego não está no controle do que está acontecendo. A vida é que está no controle. Insistir para que alguma coisa possa nos empoderar, de repente, mergulhar em nós e ver tudo e cada coisa que precisamos ver para despertar, é trabalhar em desacordo com a experiência das pessoas.

Tudo acontece no seu tempo. Nós não estamos no controle.

No entanto, isso não é algo que queiramos ouvir, não é? Não é algo que nossa mente queira. Principalmente, desejamos ouvir coisas que empoderem nosso senso de controle. E nós afastamos radicalmente qualquer coisa que não fortaleça nosso senso de controle.

Digo isso às pessoas constantemente. Quando você começa a aceitar o que vê como verdadeiro – não o que eu digo, mas a sua experiência –, é quando tudo começa a mudar.

Várias vezes os alunos me procuram e comentam: "Não posso fazer nada a esse respeito, sobre essa parte do meu mecanismo ilusório, essa parte da minha personalidade". E então perguntam: "O que eu faço? O que eu faço?". Normalmente digo: "Bem, vamos retomar. Você acabou de me dizer que não há nada que possa fazer. É verdade? Alguma coisa já funcionou? Não, nada funcionou até agora". Então pergunto: "Você pode descobrir o que fazer? Consegue ver o que fazer?". E algumas vezes eles me respondem: "Não, honestamente, não posso ver o que fazer". E eu questiono: "O que aconteceria se você realmente ingerisse a parte de sua experiência que lhe diz que não há nada que você pode fazer? E se você a tomasse em vez de tentar afastá-la?".

Em geral, quando eles trazem para si – não apenas conceitualmente, não como um ensinamento que pode ser descartado, mas realmente permitindo trazer isso para o corpo – então esta realização do que é viver sem resistência começa a mudar tudo. Às vezes, as experiências que afastamos contêm os *insights* mais transformadores de que precisamos. Quem suspeitaria que o fato de ver que não há nada, nada, nada que eu possa fazer seja transformador? Não nos ensinaram isso. Fomos ensinados a evitar esse conhecimento a todo custo. Mesmo se for parte de sua experiência, ano após ano, década após década – mesmo se continuar experienciando a mesma coisa repetidamente –, o impulso é evitá-la, não permitir, afastá-la. Percebe o que quero dizer?

Somos todos viciados. Realmente, somos todos viciados querendo ser elevados e livres. É a mesma dinâmica. O alcoólatra que admite não haver nada que ele possa fazer é que está no caminho da sobriedade. Enquanto essa pessoa sentada aí afirmar "Eu posso fazer isso; estou no controle; posso encontrar um caminho além deste", nenhuma transformação vai acontecer. Chegar ao fundo do poço nada mais é do que sair da negação. Não tem nada que eu possa fazer, e veja onde estou. Não precisamos saber muito sobre o que fazer. Precisamos ter um espelho à nossa frente para sermos capazes de ver o que vemos. Quando o alcóolatra e o viciado veem que não há nada que possam fazer, que são impotentes para conter seu vício, só então começam a se enxergar sob uma luz mais clara. Uma transformação não planejada começa a acontecer; não é praticada; não é orientada por técnicas. Para mim, espiritualidade é a disposição de dar com a cara no chão. É por isso que, embora meus alunos em geral me coloquem em um pedestal e pensem que eu descobri algo maravilhoso, eu lhes digo constantemente que meu caminho foi o caminho do fracasso. Tudo que tentei falhou. Isso não significa que o fato de tentar não tivesse desempenhado um papel importante. A tentativa realmente teve um papel, bem como o tiveram o esforço e a luta.

Mas tudo isso teve um papel porque me levou ao fim desse papel. Dancei essa dança até o final. Mas falhei. Falhei na meditação também; falhei em descobrir a verdade. Tudo que usei para ser bem-sucedido espiritualmente falhou. Mas foi no momento do fracasso que tudo se abriu.

Sabemos disso, não é? Isso não é conhecimento sagrado. Quase todos sabem disso; vivenciamos isso em nossa vida. Vimos momentos como esses. Mas isso não é algo que queremos saber, porque não é conveniente.

TS: Você sugeriu que nos questionássemos: "O que sei com certeza?". Eu lhe faria esta pergunta: Existe algo que você sabe com certeza?

ADYA: Somente que sou; isso é tudo. Uma coisa. Em vários sentidos, sou a pessoa mais tola do planeta. Literalmente. Para mim, todo o restante está em um estado de fluxo e incerteza. Tudo o mais, somente sonhamos que sabemos. Não sei o que deveria acontecer. Não sei se estamos evoluindo ou involuindo; não sei nada disso.

O ponto é: sei que não sei. E contrariamente ao que você poderia pensar, esse conhecimento não me enfraqueceu. Eu não fui para uma caverna no Himalaia nem fiquei apenas sentado no sofá dizendo "Bem, não tenho nada a fazer porque nada sei".

Ao contrário – a vida tem uma parte para viver através de mim, e eu vivo essa parte. Estou em comunhão com a parte da vida que se desenrola através de mim. A parte muda constantemente, de momento a momento, mas é com isso que estou em comunhão. Não argumento mais com a vida – ela tem que viver sua parte através de mim, e agora ela vive com concordância, e não discordância.

E parece que quando estamos no estado mais profundo de concordância, a função que a vida realiza através de nós é muito satisfatória; literalmente, é tudo que sempre quisemos, mesmo que não se pareça com nada que sempre desejamos.

TS: Adorei seu ensinamento sobre os embaraços, ou *culs-de-sac*, em que as pessoas se metem depois de uma experiência inicial de despertar. Estou curiosa para saber sua opinião sobre um *cul-de-sac* que vejo bem frequentemente, que é quando as pessoas decidem assumir algum tipo de missão especial para salvar o mundo depois de uma experiência inicial de despertar. Você vê isso como um *cul-de-sac*, como uma maneira de o ego reivindicar a experiência de despertar para seu próprio engrandecimento?

ADYA: Deixe-me falar sobre minha própria experiência. O despertar não gerou esse sentimento em mim. Não senti como se precisasse sair por aí salvando o mundo, mas, estranhamente, quando minha professora me pediu para começar a ensinar, para começar a compartilhar a possibilidade dessa percepção, o que emergiu em mim foi um senso de possibilidade. Vi que o despertar era possível para todos, para qualquer pessoa. Havia um certo senso de zelo missionário em relação a isso, que pode ser sedutor e empoderador. Existe algo maravilhoso nessa inspiração quando ela vem de um lugar de verdade.
Havia muito energia para isso, especialmente nos primeiros anos em que eu estava ensinando. Descobri que isso pode ser parte integrante do despertar, porque sentimos que todo esse sofrimento é desnecessário; é realmente possível despertar disso. Um sentimento de missão pode surgir desse lugar. Após alguns anos sentindo esse zelo missionário, notei que ele começava a recuar. Inicialmente, parecia como se eu fosse o novo cachorrinho na casa, pulando nas pernas das pessoas o tempo todo, querendo atenção e que elas fizessem alguma coisa. Nos primeiros anos de meu ensino, sen-

ti-me empoderado com o que funcionava e ajudava as pessoas, e queria compartilhar isso com elas. Mas depois de dois ou três anos, aquela energia diminuiu. Comecei a me sentir mais como um cachorro velho enroscado ao lado da cadeira de balanço de seu dono, deitado e deixando o mundo passar.

Neste momento de minha vida, o senso de zelo missionário já passou por completo. Não existe nenhum sentimento de que algo precisa acontecer. Vejo o potencial em todos, mas não existe nenhum sentido de pressa quanto a isso.

Vejo isso como um processo de amadurecimento. É uma fase pela qual muitos de nós passamos. Acho que a chave é: Passamos por isso? Seguimos adiante? Ou, em algum ponto, esse zelo missionário provê a plataforma para a reforma do ego? Se isso começa a acontecer – se o ego usa o despertar como uma nova e aprimorada plataforma missionária –, pode levar a todo tipo de distorção.

Por exemplo, podemos começar a nos ver como salvadores da humanidade, ou a considerar nossos ensinamentos como os melhores. Até onde posso ver, se as coisas caminham nessa direção, começamos a nos iludir. Com frequência, quando isso acontece é porque o ego de alguém se agarrou a alguma experiência poderosa que ele/ela teve. Se houver energia latente aí, e essa energia começa a fluir rumo ao ego, isso pode levar a algumas das ilusões mais profundas.

Vimos isso de tempos em tempos em comportamentos desastrosos do tipo cult. Isso pode acontecer quando há muita energia fluindo para o ego e o iludindo. Antes de descobrir isso, você pensa ser o salvador da humanidade.

Na verdade, nenhum de nós é o salvador da humanidade. O maior avatar que já caminhou pela Terra, se é que tal personificação realmente existe, é como um grão de areia em uma vasta praia. Como seres humanos, estamos todos apenas cumprindo nossa pequena parte. Somos expressões da totalidade, do Uno. Se começarmos a pensar que estamos desempenhando uma parte maior do que somos – se virmos a nós mesmos como maiores do que uma pequena parte de um infinito mosaico –, parece-me que estamos começando a ficar inflados e iludidos.

TS: Você tem algumas sugestões sobre como apontar para as pessoas que o ego delas está usando a percepção como uma forma de território pessoal? Encontro muito isso e tenho dificuldades de apontar isso de alguma forma efetiva.

ADYA: Tradicionalmente, existem alguns mecanismos de proteção adotados pelas tradições espirituais para impedir o ego de usar a percepção dessa maneira, mas, se olharmos para trás na história da espiritualidade, veremos que tais salvaguardas não funcionaram tão bem. Com frequência, as pessoas que tiveram uma percepção profunda eram parte de uma comunidade maior. Mesmo professores pertenciam a uma comunidade de professores. A ideia era que as pessoas ficassem de olho umas nas outras.
Na verdade, nunca aconteceu como esperado. Professores podem tomar conta de seus alunos, mas uma vez que alguém abandona esse papel, não há como ficar vigiando um ao outro. Quero dizer, vimos isso em quase toda tradição. Há pessoas que se deslumbram ou saem por algum tipo de tangente. Acho que é perfeitamente apropriado que tentemos se não mudar as pessoas, então fazê-las refletir a respeito – especialmente se virmos alguém realmente despreparado. Não que elas vão ouvir! Gostaria de ter um bom antídoto para o que você está descre-

vendo. Mencionei que, como professor, quando descubro alunos deslumbrados com a própria percepção, a coisa mais difícil para mim é tirá-los dessa condição. Acho que lidar com isso é uma das coisas mais difíceis para um professor espiritual. E se um professor espiritual tem dificuldades com seus alunos, numa relação em que já existe certo senso de confiança, imagine quão mais difícil é para uma pessoa comum se dirigir a alguém e dizer: "Ei, sabe, você pode não ser um exemplo de liberação tão puro quanto pensa". Pode ser realmente difícil fazer isso.

Sem querer justificar ninguém, cada um de nós tem certa constituição cármica. Sou o tipo de pessoa que nunca se encantou pelo poder, e não por escolha minha. Aqui estou eu, um professor espiritual, que é um papel ao qual as pessoas atribuem grande poder. No entanto, da forma como vejo, a verdade é que não tenho poder algum, a não ser o poder que as outras pessoas me conferem. Todo o poder está nas mãos nos alunos. E é bom que as pessoas saibam disso. Sempre notei que, quando as pessoas me concedem poder ou autoridade em demasia, começo a me sentir como se estivesse vivendo em uma bolha surreal. Inerente ao fato de as pessoas concederem poder a outras está uma projeção, certo? Quando alguém me confere muito poder, esse alguém projeta que sou diferente dele. E acho esse um ambiente surreal. É por isso que o evito ao máximo, porque há nisso um sentido de não realidade.

Outras pessoas, bem obviamente, são mais atraídas pelo poder do que eu. Elas consideram encantador ser a projeção positiva dos outros. É algo sedutor para elas. Não poderia dizer exatamente por quê; apenas nunca foi confortável para mim, pessoalmente.

TS: Aos 25 anos, quando vivenciou o que chama de "primeiro despertar", você mencionou que ouviu uma voz que disse "Continue, continue". O que é essa voz? Você a chamaria de sua consciência ou silêncio, pequena voz interna?

ADYA: Você pode chamá-la de qualquer uma dessas formas.

TS: Parece que se cada um de nós tivesse esse tipo de voz interior, ela nos impediria de associar nossas percepções a um jogo pessoal de poder. Você ouviu essa voz que disse que sua percepção não estava completa, mas todos possuem uma voz interior como essa?

ADYA: Em certo sentido, eu diria que sim. Em um sentido maior, somos todos iguais e temos acesso às mesmas capacidades. No nível relativo, a pergunta é se todos *ouvem* sua voz interior. Aparentemente, nem todos a ouvem.

O que é essa voz interior de sabedoria? É para isso que aponto quando falo de sinceridade. É a inteligência dentro de nós que nos mantém nos trilhos, que nos mantém alinhados.

Em certo sentido, creio que quase todos experimentaram essa voz pequena e calma. O exemplo que normalmente dou é de quando você está namorando alguém e a relação termina de forma desagradável. Algo dentro de você diz: "Não faça isso novamente". Mas então encontramos outra pessoa e não ouvimos a voz. Estamos atraídos; essa pessoa é sexy, simplesmente queremos estar com ela. No final, descobrimos que a pequena e calma voz estava certa. Não devíamos ter nos envolvido com aquela pessoa. No final, tudo colapsa; no final, essa pequena e calma voz vence.

Essa voz não é mística. É algo que, acredito, a vasta maioria das pessoas ouviu em certos momentos. Mas somos tão bons em ignorá-la. Queremos que essa voz pequena e calma se justifique – diga-nos por quê. Um dos melhores indícios de que a voz interior é autêntica e sincera é que ela nunca se justificará. Se você perguntar "Por quê?", vai obter silêncio. Se pedir que ela se explique, ela não fará isso. A pequena e calma voz não precisa fazer isso – e não fará.

Se você estiver falando com o ego e perguntar "Por quê?", ele vai lhe responder. Se perguntar ao ego "Isso significa que tudo ficará bem?", ele lhe dará garantias. A pequena e calma voz, no entanto, tem uma espécie de insegurança inerente. Ela não oferece garantias. A voz é um presente. Ou a ouvimos ou não.

Por que eu a ouvi e outros não, eu não sei. Não poderia dizer por quê. Estou apenas contente por que, no meu caso, a voz estava lá e pude ouvi-la. Ela foi persistente. E, a propósito, nem sempre a ouço. Várias, inúmeras vezes eu não a escutei.

TS: Essa voz é como um guia, um protetor, ou é apenas parte de nossa mente, parte de quem somos?

ADYA: Acho que é tudo isso. É um guia. É um protetor. É o fluxo da existência. Aliás, esse fluxo inteligente da existência nem sempre surge como uma voz. Nem sempre é audível. Para mim, hoje, quase nunca é audível. Em outros momentos, foi literalmente uma voz. Como falei, durante aquela primeira percepção a voz disse "Isso não é tudo; continue", e foi uma experiência audível.

Mas agora essa inteligência norteadora aparece mais como um fluxo. É mais como sentir as correntes de energia na vida. A voz é também um indicador do fluxo. Acho que tem de se tornar uma voz quando não conseguimos sentir o fluxo natural da vida, o fluxo para virar à esquerda ou o fluxo para virar à direita, o fluxo para fazer isto ou o fluxo para fazer aquilo.

Muitos de nós não são sensíveis o bastante para sentir isso, e então o fluxo surge como uma voz. Mas neste momento, para mim, é muito mais como seguir um fluxo natural. Como os taoistas diriam, siga o fluxo do Tao.

Portanto, existem diferentes aspectos para isso. É um fluxo. É uma voz. É uma voz protetora. É seu conselheiro. É sua consciência, mas não a consciência que a sociedade nos ensinou. É uma consciência diferente dessa. Porque a consciência que a sociedade nos ensinou é nosso superego – e essa consciência sempre contém julgamentos. A consciência de que falo não é o superego. É algo mais. Ela surge de um estado de ser totalmente diferente.

TS: Você falou anteriormente de como descobriu que não poderia andar à sombra de um professor, de um caminho ou de uma tradição – que você teria de encontrar seu próprio caminho, e como isso foi importante.

ADYA: Isso foi imensamente importante para mim.

TS: E você encorajou seus alunos a também encontrar o próprio caminho. O que é interessante para mim é que, ao mesmo tempo, parece que várias pessoas, inclusive eu, sentem uma conexão com você e, de alguma forma, sentem-se menos sós por conhecê-lo, quase como se estivéssemos sozinhos, porém juntos, simultaneamente. Você poderia falar sobre isso?

ADYA: No início dos meus 20 anos, quando compreendi que precisava encontrar meu próprio caminho e não me apoiar somente em uma tradição ou professor, uma imagem chegou até mim: eu estava caminhando no espaço conectado por um cabo à cápsula espacial e, em certo momento, peguei o cabo e cortei a conexão. Eu estava só e não dependia de nada ou de ninguém. No entanto, isso não significou que eu tinha deixado minha professora; não quis dizer que abandonara a minha tradição. Eu não rejeitara nada. Foi simplesmente uma visão de que, no final, a responsabilidade está aqui; está em mim. Essencialmente, nenhuma tradição, nenhum professor, nenhum ensinamento vai me salvar de mim mesmo. Compreendi que não posso abdicar dessa autoridade.

E, é claro, naquele momento, foi muito assustador. Pensei, meu Deus, e se eu me iludir? Naquele momento, eu sabia que não sabia muito. Porém, lá estava eu, certo de que tudo precisava ser verificado internamente.

Várias pessoas me disseram que se veem como minhas alunas e que é diferente de estudar com outros professores, porque não sou o tipo de professor espiritual que tem um relacionamento pessoal com os alunos. Eu chego, ensino, nós interagimos enquanto eu ensino, mas não tenho um centro de retiro; não tenho um caminho onde nos relacionamos casualmente. É momento a momento, a momento, a momento, a momento.

Aliás, esse não é o único tipo de relacionamento que se tem com um professor. Acredito que relacionamentos próximos entre aluno e professor têm também um importante papel. Na verdade, quando meu trabalho começou a crescer, quando passou de pequeno a bem maior ao longo de vários anos, algumas pessoas sentiram falta de quando era pequeno. O pequeno funcionava para algumas pessoas. Eu ensinava, tomávamos café ou almoçávamos depois, e isso funcionava para certas pessoas. Quando o ensinamento cresceu e, pela necessidade, a estrutura das coisas mudou, para algumas pessoas deixou de funcionar. Elas tiveram que encontrar algo que satisfizesse melhor suas necessidades, em que houvesse mais intimidade.

Por sua própria natureza, meu estilo de ensinar é aquele em que, de imediato, as pessoas precisam contar consigo, mas ao fazer isso, encontram certa intimidade uma com a outra. É aí que encontro as pessoas, naquele lugar onde as vejo como inteiras e capazes, e tendo capacidades que poderiam pensar que não tivessem. E quando elas estão ali e começam a descobrir sua própria suficiência interna, é aí que nos encontramos. Não encontro as pessoas em sua insuficiência, quando elas pensam que não são capazes. Quanto mais elas caminham por si mesmas, mais nos encontramos de forma íntima – uma forma muito pessoal e impessoal.

Há muitas influências que chegam para nos ajudar quando estamos dispostos a estar conosco – visíveis e invisíveis, conhecidas e desconhecidas. O ponto é não ficar preso à ideia de que tudo tem a ver com estar só. Essa é uma experiência particular de um momento de solidão, de encarar a si próprio, de não se agarrar a um professor ou tradição ou a ensinamentos – inclusive os meus, por sinal. De repente, você está consigo. Essa é a solidão. Mas quando encaramos isso e estamos dispostos a ficar aí, misteriosamente começamos a descobrir que temos muita companhia. Várias pessoas estão fazendo a mesma coisa. Os ensinamentos começam a ser vistos de forma diferente; os professores com os quais podemos estudar começam a ser vistos de forma diferente. Um relacionamento muito mais maduro sobrevém desse ponto.

TS: Durante o que chamou de seu "despertar final", aos 32 anos, você mencionou em outras entrevistas que parte dessa experiência incluiu ver suas vidas passadas. Imagino que seja algo sobre o que você não goste de falar.

ADYA: Sim, nós nos conhecemos bem o bastante para que saiba disso, mas parece que você vai prosseguir de qualquer maneira – bom para você.

TS: A lenda, como você conhece, é que Buda, sentado sob a Árvore Bodhi, viu suas vidas passadas como um *flash* diante dele, como parte de seu despertar. Gostaria de saber o que você viu.

ADYA: Vou tentar explicar o que aconteceu vivencialmente. No momento do despertar, foi como se eu estivesse completamente fora de quem pensava ser. Havia um vasto, vasto, vasto vazio. Naquele vasto vazio, naquele infinito vazio, havia o menor, menor, menor ponto de luz que você pode imaginar. E aquele menor ponto de luz era um pensamento, simplesmente flutuando no vazio. E o pensamento era: "Eu". E quando me virei e olhei para o pensamento, tudo que tive de fazer foi me interessar por ele, de alguma forma ficar interessado, e aquele pequeno ponto de luz ia se aproximando cada vez mais. Era como se aproximar de um buraco em uma cerca – ao levar seu olho ao buraco, você não vê mais a cerca; vê o que está do outro lado. Então, à medida que o pequeno ponto de "mim" se aproximava, comecei a perceber através daquele ponto chamado "eu". E descobri que naquele ponto chamado "eu" estava o mundo inteiro. Todo o mundo estava contido naquele "eu", naquele pequeno ponto chamado "eu". Não havia realmente um "eu", mas um vazio que podia entrar e sair daquele ponto, entrar e sair; é como se o mundo pudesse tremeluzir – acender e apagar, acender e apagar, acender e apagar.

Então notei que havia vários tipos de outros pontos, e pude entrar em cada um deles, e cada qual era um mundo diferente, uma época diferente, e eu era uma pessoa diferente, uma manifestação totalmente diferente em cada um daqueles pontos. Podia entrar em cada um deles e ver um sonho do *self* totalmente diferente, e um mundo totalmente diferente estava sendo sonhado também.

Na maior parte, o que vi foi algo não resolvido sobre o sonho do "eu" em determinada vida. Havia certas confusões, medos, hesitações e dúvidas que não estavam resolvidos em vidas específicas. Em certas vidas, o que não estava resolvido era um sentimento de confusão sobre o que acontecera no momento da morte. Em uma vida, morri afogado e não sabia o que estava acontecendo, e havia um terror e confusão tremendos enquanto o corpo desaparecia na água.

Vendo aquela vida passada e a confusão no momento da morte, imediatamente soube o que tinha de fazer. Precisava retificar a confusão e explicar ao sonho do "eu" que eu morrera, que caíra de um barco e morrera afogado. Quando fiz isso, de repente a confusão daquela vida estourou como uma bolha, e houve um sentimento tremendo de liberdade. Vários sonhos de vidas passadas surgiram, e cada um deles parecia focar algo que tinha estado em conflito, algo não resolvido de uma encarnação diferente. Passei por cada um deles e desfiz a confusão.

TS: Você estava deitado sobre um tapete com os olhos fechados, ou algo parecido?

ADYA: Não, na verdade, a coisa mais estranha foi que eu estava caminhando pela sala quando tudo isso aconteceu. Não sei lhe dizer por quanto tempo estive caminhando. Poderia ter sido cinco segundos – porque tudo isso é fora do tempo –, realmente não sei. Poderia ter caminhado pela sala por cinco horas, mas eu estava, literalmente, apenas caminhando pela sala.

E não é que eu estava parado; estava andando, e tudo aconteceu em meio ao que eu estava fazendo. Caminhei pela sala, fui ao quintal; eu estava fazendo alguma coisa – não me lembro do que estava fazendo – e simultaneamente toda essa outra coisa também estava acontecendo. Sei que soa esquisito. Isso não aconteceu em um momento de meditação; estava completamente misturado, como parte da vida comum.

Como você sabe, não falo muito sobre esse tipo de coisa. Não quero falar para muitas pessoas sobre vidas passadas, especialmente aos não dualistas radicais que afirmam não existir ninguém que jamais nasceu, ninguém que tenha vidas passadas, que declaram não existir encarnações e assim por diante. Claro, tudo isso é verdadeiro; tudo é um sonho, mesmo as vidas passadas. Quando falo sobre elas, falo sobre elas como sonhos passados. Sonhei que era tal pessoa; sonhei que era aquela pessoa.

Pessoalmente, nunca tentei acumular experiências de vidas passadas e embrulhá-las em algum tipo de compreensão metafísica. Não tenho um entendimento claro do que seja uma vida passada, a não ser que me pareça claro que também tenha a natureza de um sonho; não tem objetivo, existência real. Entretanto, a experiência ocorreu. E como aconteceu, não posso dizer que não tenha ocorrido. Mas em minha própria mente não tento compreender tudo isso. Tudo que sei é o que aconteceu.

TS: Ao olhar para cada um desses sonhos, havia um sentimento de que tinha algum tipo de resolução acontecendo?

ADYA: Sim. Não só uma resolução naquele momento, mas também uma resolução agora. Porque tudo é uma só coisa. Porque tudo que não estava resolvido em um daqueles sonhos não estava resolvido agora. Porque é a mesma coisa; existe uma conexão.

Uma das razões de não ter falado muito sobre vidas passadas é que algumas pessoas que estão extraordinariamente despertas jamais viram uma vida passada. Estar consciente de vidas passadas não é necessário. Não sou particularmente uma pessoa mística. Durante um período relativamente curto, alguns meses, experiências desse tipo aconteceram ocasionalmente. Desde então, elas ocorreram esporadicamente, mas sem grande consistência. Elas não precisam acontecer; elas simplesmente aconteceram, e não é incomum que aconteçam para algumas pessoas. O que as pessoas normalmente veem, se suas experiências são reais, é o que precisa ser visto, é o que precisa ser libertado. Como disse uma grande abadessa budista: "Normalmente não se tem uma vida passada que lhe mostre o exemplo elevado de iluminação que você foi, pois a iluminação não deixa traços; é como um fogo que queima de forma limpa. Não deixa impressões cármicas para trás". Ela afirmou que se você tem vidas passadas, provavelmente vai ver que grande idiota você era – o que eu adorei, e que correspondeu à minha experiência. Não necessariamente vi que tipo de idiota nota dez eu tinha sido, embora, em alguns casos, tenha visto que era bem mais do que um idiota nota dez. A maioria das vidas passadas que vi foram momentos de confusão, momentos de conflitos cármicos não resolvidos.

TS: Parte do motivo de trazer à tona o tópico de vidas passadas é que ouvi de várias pessoas o seguinte sobre você: "O Adya teve ter sido um ser elevado em uma vida passada, por isso teve avanços tremendos tão cedo e é capaz de articular ensinamentos sobre o despertar de forma tão original". O que você acha desse comentário?

ADYA: Se você me pergunta assim, à queima-roupa, digo que sim, vi a mim mesmo fazendo coisas similares ao que faço nesta vida, várias vezes. Mas, novamente, não conheço toda a metafísica de vidas passadas e como elas funcionam, e não vejo as coisas acontecerem em termos lineares de causa e efeito. De fato, minha experiência de vidas passadas é que elas não são realmente passadas. Eu as denomino assim porque é como as pessoas se referem a elas, mas se tivesse que dizer qual é a minha experiência real, tem mais a ver com vidas simultâneas.

É como se você tivesse um sonho à noite, e nesse sonho você é uma determinada pessoa. E em seu sonho, começa a se lembrar, digamos, de todas essas vidas passadas. Digamos que você se lembre de cinquenta vidas passadas muito intimamente, muito claramente. "Ah, isso ou aquilo aconteceu." E parece que aconteceu no passado. Então você desperta do sonho e se vê em sua cama pensando: "Uau, aquele foi um sonho interessante; sonhei que era alguém que teve todas essas experiências de vidas passadas". E pode lhe ocorrer: "Espere um minuto, estive sonhando todas essas vidas passadas, de uma vez. Todas elas estavam sendo sonhadas bem agora. Elas não tinham nenhuma existência antes de eu sonhá-las". É dessa forma que vejo isso.

Não as vejo como passado, pois elas estão todas ocorrendo simultaneamente, todas estão interagindo simultaneamente.

TS: Tendo visto os diferentes sonhos pelo buraco da cerca, o que você acha que vai acontecer – e não diga que você não sabe! – quando morrermos? Como você acha que será essa experiência?

ADYA: E não posso dizer "Eu não sei?". Bem, agora você realmente me deixou de mãos atadas, Tami.

Minha mente não vai para o que irá acontecer quando eu morrer. Se eu penso sobre a morte, o único lugar para onde minha mente se dirige é o fato de a morte ser somente a próxima experiência – isso é tudo. É a próxima experiência; é uma experiência diferente da de ficar sentado aqui conversando com você, inegavelmente, mas, no final, é a próxima experiência que a consciência terá.

Nada morre. O Espírito não morre, mas ele tem a experiência que chamamos de morte – a dissolução de um corpo, a dissolução de uma expectativa de vida, de uma personalidade; tudo isso se dissolve. E o Espírito ou consciência tem essa experiência, assim como tem a experiência de nascer e viver, e de conversar com você neste momento.

Este momento é o Espírito tendo esta experiência. E se você me pergunta "Como será a morte?", não consigo perceber essa coisa que pensamos ser morte realmente acontecendo do jeito que achamos que acontece. Não há nada em mim que se relacione com a morte como um fato real. Relaciono-me com a morte como uma experiência. Apenas como a próxima experiência. Será maravilhoso ver como será essa experiência. Mas não a vejo com um senso de finalização ou com quaisquer conotações comuns que temos sobre a morte.

TS: Você acredita que existe alguma qualidade de experiência que esteja disponível após a morte que não esteja disponível quando estamos encarnados?

ADYA: Despertar é morrer. O despertar é isso. Quando o despertar aconteceu, eu morri. Tudo desapareceu, se apagou. Tudo que todos mais temem é o que me aconteceu. Vazio total. Absoluta não existência. Nada, nada, nada. Naquele momento, nenhuma vida passada, nenhuma vida presente, nada; nenhuma consciência, nascimento ou doença, nada. Zero. É tudo que aterroriza a todos. Foi o que me aconteceu; isso é a morte.
E é simplesmente assim: a morte é a própria vida. Devemos morrer para viver de verdade. Devemos experienciar a não existência absoluta para verdadeiramente existir de uma maneira consciente.

TS: Já ouvi pessoas dizendo "Isto e aquilo estará disponível para você após a morte, mas enquanto estiver em um corpo humano, não é possível saber isto ou aquilo. Quando não estiver mais no corpo, então haverá liberdade suficiente para que saiba".

ADYA: Todos nós vamos vivenciar exatamente o que acreditamos. Se acreditar nisso, é isso que irá vivenciar. Lembre-se, não existe uma realidade "objetiva", uma maneira objetiva segundo a qual tudo deve funcionar. Funciona do jeito que você sonha funcionar. Só funciona dessa forma. Essa é a única coisa que está acontecendo. Então, se as pessoas acreditam nisso, significa que esse é o sonho que a consciência está tendo através delas, mas esse sonho não é mais válido do que outro sonho qualquer.

Claro, no momento da morte física há o desprendimento da experiência física. De certa forma, é um despertar forçado. Quando o corpo físico se desprende, a estrutura da personalidade também vai se desprender. Não significa que você vai se desapegar dela; ela simplesmente será levada. Nesse momento, muita coisa torna-se disponível, pois muito do que agarramos não existe mais. Você não está mais sonhando o corpo na existência – ele simplesmente não está mais lá. Então, muito se torna possível? É claro!

A mesma coisa é verdadeira para algumas pessoas que estão próximas da morte. Algumas das experiências mais surpreendentes que já tive foram com seres humanos que estavam à beira da morte. Visitei-os em seus leitos, e aqueles que estavam prontos para isso, já soltaram. Ao sentar-se ao lado deles, você pode sentir a morte se aproximando, e como eles já abriram mão do corpo. Em um sentido real, eles já morreram, já soltaram e já sabem, alguns deles, que está tudo bem.

Se você tiver a sorte de estar na presença de alguém nesse estado, há uma experiência de total esplendor. É como se o corpo se tornasse totalmente transparente ao Espírito, à presença interior. E a única razão de tornar-se transparente é porque a pessoa não está mais se agarrando ao corpo. Portanto, claramente, o verdadeiro momento físico da morte não precisa acontecer para que alguém solte, afinal.

Sobre o autor

ADYASHANTI (cujo nome significa "paz primordial") instiga todos os buscadores da paz e da liberdade a levar a sério a possibilidade de liberação nesta vida. Ele começou a ensinar em 1996 a pedido de sua professora zen, com quem vinha estudando por quatorze anos. Desde então, inúmeros buscadores espirituais despertaram para a sua verdadeira natureza enquanto passavam algum tempo com Adyashanti.

Autor de *Emptiness dancing*, *The impact of awakening* e *My secret is silence*, Adyashanti oferece ensinamentos não duais espontâneos e diretos que têm sido comparados àqueles de antigos mestres zen e sábios da Advaita Vedanta. No entanto, Adya diz: "Se você filtrar minhas palavras através de qualquer tradição ou 'ismo', irá perder totalmente o que estou dizendo. A verdade libertadora não é estática. É viva. Não pode ser colocada em conceitos nem ser compreendida pela mente. A verdade está além de todas as formas de fundamentalismo conceitual. O que você é, é o além – desperto e presente, aqui e agora. Estou simplesmente o ajudando a perceber isso".

Natural do norte da Califórnia, Adyashanti vive com sua esposa, Annie (Mukti), e leciona extensivamente na área da Baía de São Francisco, oferecendo *satsangs*, intensivos de final de semana e retiros de silêncio. Também viaja para ensinar em outros lugares dos Estados Unidos e do Canadá. Para mais informações, favor acessar adyashanti.org.

OUTROS LIVROS DA EDITORA MEROPE

Círculo Sagrado de Luz
L.B. Mello Neto (canalizador)

Orações do Sol
Espírito Joehl, canalizado por L.B. Mello Neto

A Essência da Bondade
L.B. Mello Neto (canalizador)

Você já Sabe como se Superar
Alan Fine com Rebecca R. Merrill

O Casamento do Espírito
Leslie Temple-Thurston com Brad Laughlin

Flua
Louis Burlamaqui

Domínio Emocional em uma Era Exponencial
Louis Burlamaqui

A Arte de Fazer Escolhas
Louis Burlamaqui

Liderança Fluida
Louis Burlamaqui

TIPOLOGIA:	Garamond [texto e entretítulos]
PAPEL:	Off-white 80 g/m² [miolo]
	Cartão 300 g/m² [capa]
IMPRESSÃO:	Formato Artes Gráficas
1ª EDIÇÃO:	outubro de 2018
2ª REIMPRESSÃO:	janeiro de 2020